クロクロクロック 1/6

入間人間

CROCRO-CLOCK 1/6 HITOMA IRUMA

イラスト／深崎暮人

Crocro-Clock 1/6 Hitoma Iruma

1/6

男がその家に忍《しの》びこんだ理由は依頼《いらい》を果《は》たすためだった。下調べとして何度か事前に侵入《しんにゅう》していたためか、家人のいない室内を勝手知ったる顔でうろついている。時間に余裕《よゆう》があれば、台所でお茶の一杯《いっぱい》も楽しんでいそうなほどだ。男は居間《いま》のテーブルに載《の》っていた瓶《びん》を手に取り、中から飴《あめ》を一粒《つぶ》摘《つま》んで口に放りこむ。選ばずに取った飴はアセロラの味がした。

ソファに座《すわ》りこんでから、男が庭の方に目をやる。ガラス越《ご》しに見える庭先には物干《ものほ》し竿《ざお》がかかっているが、ぐずついた天気のためか洗濯物《せんたくもの》は干《ほ》されていない。ネズミ色の雲ではあるが、気温の低さから雨ではなく雪が降り出しそうに思えて、男は上半身《じょうはんしん》を震《ふる》わせる。

寒い、とその口が動く。隅《すみ》のストーブに目が行く。男は腰《こし》を浮かしかけて、しかしそこまで図々《ずうずう》しいのもどうかと思い留《とど》まり、座り直す。男は家人のいない時間を調査して人知れず入りこんだ後、次はその家の人間が帰ってくるのを待《ま》たなければいけない。その二度手間にも思える長い仕事の時間を思って、男は憂鬱《ゆううつ》そうな白い息《いき》を吐《は》いた。

廊下《ろうか》の方へと目をやる。男は美術に関心があるわけでもないが、この家には一目《ひとめ》見て気になるものがあった。廊下の途中《とちゅう》に飾《かざ》ってある壺《つぼ》だ。作者の名前も知らないが、雲を描《えが》くような絵《え》柄《がら》と手触《てざわ》りが気に入っていた。仕事が終わったら持って帰ろうかと考えるほどだった。だが、あんなめだつものをどこに隠《かく》せばいいのだと男はその発想に笑ってしまう。

それから、テレビでも観ようかと前屈《まえかが》みになり、テーブルに手を伸ばした。

それとほぼ同時だった。

ぼごぉ、と庭の地面が盛り上がる。

男が目を丸くすると、冷静になる間も与《あた》えずに人間の頭とシャベルの先端《せんたん》が飛び出した。

中年の男性が、土にまみれながらモグラのように現れたのだ。

これには今まで余裕《よゆう》を通していた男も驚《おどろ》きを露《あら》わにする。まさか地面から這《は》い出てくるとは、常識外《じょうしきはず》れの登場だった。土まみれの中年の方も、見知らぬ男が家の中でくつろいでいる様子《ようす》を見て固まる。お互い、見てはいけないものを見てしまった気分に陥《おちい》る。しかしそんな冷静な見つめ合いはすぐに終わり、中年の方が穴《あな》ぼこから飛び出す。シャベルを構えて、男へ険《けわ》しい声をかける。男はソファから立ち上がった後、それには応えず無言《むごん》で目を細めた。

庭にいる中年は、この家の家主《やぬし》である。なぜ庭で穴掘《ほ》りなどしていたか、理由は定かではない。しかし家の鍵《かぎ》は持っているだろう。だがそちらへ回れば男に庭から逃げられる。庭から居間へ入ろうとしても、男が開けるはずもない。そんな葛藤《かっとう》があってか、中年はシャベルを構えたまま動こうとしない。男の方も中年の動向次第《どうこうしだい》で行動を決めなければいけないので、目を離《はな》すわけにはいかなかった。口の中にはまだアセロラ飴があって、甘《あま》さが歯に染みる。

膠着《こうちゃく》が続く。このままでいれば不利となるのはどちらかも判断しづらい。いずれ他の家人も帰ってくるだろうが、そうなれば男は挟《はさ》まれる形になる。だが同時に、人質《ひとじち》を取る良い機会でもある。しかし人質を取って移動すると、足枷《あしかせ》になって行動が鈍《にぶ》る。相手《あいて》の覚悟次第《かくごしだい》で、利の奪《うば》い合いは不透明《ふとうめい》となることを男は察していた。

中年は携帯《けいたい》電話を持っていないのか、それとも連絡すると不都合《ふつごう》のある身の上なのか。余所《よそ》へ連絡する素振《そぶ》りはなく、シャベルを握《にぎ》りしめている。そして、そのままじりじりと近寄る。中年が動き出して、男はその意図《いと》を見極《みきわ》めようと後手《ごて》に回ってしまう。中年がシャベルを振り上げたところでなにをしようとしているかに気づき、走って玄関《げんかん》の方へ引き返し始める。

中年がシャベルで窓《まど》を叩《たた》き割った。そして鍵《かぎ》を開けて、土足《どそく》のまま飛びこんでくる。男はそのとき既《すで》に居間《いま》の入り口近くまで離《はな》れていた。男の動きを止めようと、中年がシャベルを全力でぶん投げる。男はその投擲《とうてき》に気づいて、振り向きながら身体《からだ》を捻《ねじ》って、敢《あ》えて足を滑《すべ》らせて転んだ。柄《え》と肘《ひじ》がぶつかって激しい痛みはあったものの、シャベルの先端《せんたん》が直撃《ちょくげき》するのは避《さ》けることに成功する。男が肘を押さえながら床《ゆか》に膝《ひざ》をつくのと同時に、中年がテーブルの上のものを次々に投げつけてくる。飴玉《あめだま》の入った瓶、リモコン、新聞と見境《みさかい》がない。

男がそれを手で払《はら》っている間に中年がテーブルを飛び越《こ》えて、投げたシャベルを拾う。そのままガラスを割る延長《えんちょう》のように、男へとシャベルを振り下ろす。男は転がり続けることでなんとかその一閃《いっせん》を回避《かいひ》して、廊下《ろうか》に飛び出した。そこで壁際《かべぎわ》まで移動してから、飴を吐《は》き出す。舐《な》めだしたばかりでほとんど溶けていない飴を口から出して、追いかけてきていた中年の目を狙《ねら》って投げつける。それは目にこそ当たらなかったが眉間《みけん》にぶつかり、中年の勢いを止めるのに十分《じゅうぶん》な効果《こうか》を発揮《はっき》した。目を瞑《つむ》ったその瞬間《しゅんかん》、男が中年の下半身《かはんしん》にめがけて体当たりする。

中年を壁《かべ》にぶつけながら引きずり倒《たお》す。その際、棚《たな》に手が引っかかって倒れそうになった。結果、棚は斜《なな》めを向いて中途《ちゅうと》半端《はんぱ》な位置で落ち着く。

中年がその衝撃《しょうげき》に目を回しているのを好機《こうき》と見て、男が立ち上がろうとする。だが振り回したシャベルで足を強く払《はら》われて、激痛《げきつう》に思わず膝を突《つ》く。中年はがむしゃらな抵抗《ていこう》が思いの外《ほか》、効果《こうか》があることに歓喜《かんき》して立場を逆転させようと、先に起き上がろうとする。

男が片目《かため》を強く瞑りながら顔を上げると、目の高さに丁度《ちょうど》、倒れかけた棚と今にも滑り落ちそうな壺《つぼ》があった。

男はその壺を咄嗟《とっさ》に持ち上げて、そして、中年の頭部めがけて振り下ろした。

CROCRO-CLOCK 1/6 HITOMA IRUMA

プロローグ

『05／31日（木）19：56』

男が開いた携帯電話《けいたいでんわ》にはそう表示《ひょうじ》されていた。それを確かめてから、男は上を向く。駅内《えきない》に無数に存在《そんざい》する時計の一つを見上げて、その時刻《じこく》を電話のそれと見比《みくら》べる。デジタル時計の橙色《だいだいいろ》で示された時間は、男の持つ携帯電話より五分ほど遅《おく》れていた。売店と大型電気店を背景《はいけい》にしながら、男は立ち止まる。その横を新幹線《しんかんせん》の改札《かいさつ》から続く長い流れがすり抜けていった。

男は携帯電話を操作《そうさ》し、時間を調節《ちょうせつ》する。そうしたズレが気になるタチらしい。黄土色《おうどいろ》の帽子《ぼうし》を被《かぶ》って耳を隠《かく》し、その脇《わき》から伸びた髪《かみ》がちらばるように飛び出ている。赤白の横縞模様《よこじまもよう》が入った七分丈《しちぶたけ》のシャツと、赤いズボンで露出《ろしゅつ》は少ない。服装《ふくそう》は古臭《ふるくさ》く、肩に紐《ひも》をかけた鞄《かばん》も年季《ねんき》が入ってくたびれていた。年齢《ねんれい》は三十代前半で、目の向く方向に統一感がなかった。

男はその日、六件の取引を済ませて帰宅《きたく》する最中《さいちゅう》だった。男の仕事は拳銃《けんじゅう》の販売《はんばい》であり、当然、その取引は売る方も買う方も違法《いほう》である。そしてその違法性をお互《たが》いに自覚《じかく》しながらも、それを仕事とする生活が成立していた。数年続ける内、男は犯罪《はんざい》であるという感覚《かんかく》も麻痺《まひ》した状態《じょうたい》となり、人混みの中にあっても気負《きお》う様子《ようす》はない。悠々《ゆうゆう》と、時計の調整を終える。

電話を片づけてから、男は急ぎ足で電車の改札に向かう。男は個人輸入業というわけではなく、拳銃の販売を担当《たんとう》する構成員《こうせいいん》にすぎない。注文《ちゅうもん》受付もネット、直接問わず管理しているが、それは中部近辺に限られた。更《さら》に厳密化《げんみつか》するなら、名古屋《なごや》の周辺がほとんどを占《し》めた。

今日も名古屋駅近辺、町外れと一日中移動しての仕事だった。取引の日時がそこまで被ることは珍《めずら》しい。注文が重なったので仕方なかったが、男としては一刻《いっこく》も早く家へと帰り、一息《ひといき》つきたいところだった。注文した相手と直接会うわけにもいかないが、郵送《ゆうそう》も不安が残る。そんな注文相手とは互いの都合《つごう》のいい場所を選定し、代金と拳銃を指定した時間に交換することとなっていた。その中の一件に山奥が含まれていたこともあり、足腰《あしこし》を苛《さいな》む疲労《ひろう》が酷《ひど》い。

終点豊橋《とよはし》行きの電車に他の会社員と一緒《いっしょ》に乗りこみ、男は壁《かべ》に頭を添《そ》える。誰《だれ》かの隣《となり》に座《すわ》ることを生理的《せいりてき》に嫌《きら》い、男は空席《くうせき》があろうと車内で立つことを選ぶ。走り出した電車の窓《まど》ガラスに浮かぶ、闇夜《やみよ》の町を彩《いろど》るイルミネーションのような灯《あか》りに男が目を細めた。

今日もこの町で、六人が拳銃を手に入れた。彼ら、彼女らがどういった理由で非合法《ひごうほう》な凶器を手にしようと決意したか、男は時々思いを馳《は》せる。

憎《にく》い誰かを撃《う》ち殺すのだろうか？

単純《たんじゅん》に本物の拳銃を手に持ってみたかった、好奇心《こうきしん》からなのか？

商売の中で触《ふ》れすぎて感覚の麻痺した男には、拳銃という『可能性《かのうせい》』への思いを感じ取る力が希薄《きはく》となっていた。

男自身《じしん》は拳銃を所有していない。それは店員が店の売り物に手をつけるようなものだと考えていた。代わりにハッタリのために、鞄《かばん》には常《つね》にモデルガンを携帯《けいたい》している。弾《たま》など出ない玩《おも》具《ちゃ》だが見た目は精巧《せいこう》で、重量もある。素人《しろうと》には本物と勘違《かんちが》いされるし、専門家ならすぐに見抜かれる。丁度《ちょうど》いい塩梅《あんばい》の玩具だった。それをなんの気なく覗《のぞ》いて、そこで男の顔色が変わった。

普段《ふだん》から取り扱っている商売道具だけあり、すぐにその違和感《いわかん》に気づく。肩《かた》の紐越《ひもご》しながら意識することで感じる重量と、特有の空気感に男の目がざわつく。周囲《しゅうい》の客の目を気にしながらも鞄に手を突《つ》っ込んでモデルガンを握《にぎ》りしめて、確信する。

男はしばらく固まる。電車が次の駅《えき》に到着して止まり、乗客が入れ替わるのを横目で眺《なが》めながら、ようやく口を開く。駅と電車の中でずっと黙《だま》っていたせいか、声が潰《つぶ》れていた。

「やべぇ」

言葉《ことば》と裏腹《うらはら》に表向《おもてむ》きは落ち着いていた。男は実物の拳銃《けんじゅう》の重さを感じながら目を泳がせる。

男の侵《おか》した失敗、それは販売品《はんばいひん》の取り違《ちが》え。

今日取引した六人の内、一丁《ちょう》だけ、本物とモデルガンを間違《まちが》えて売ってしまった。

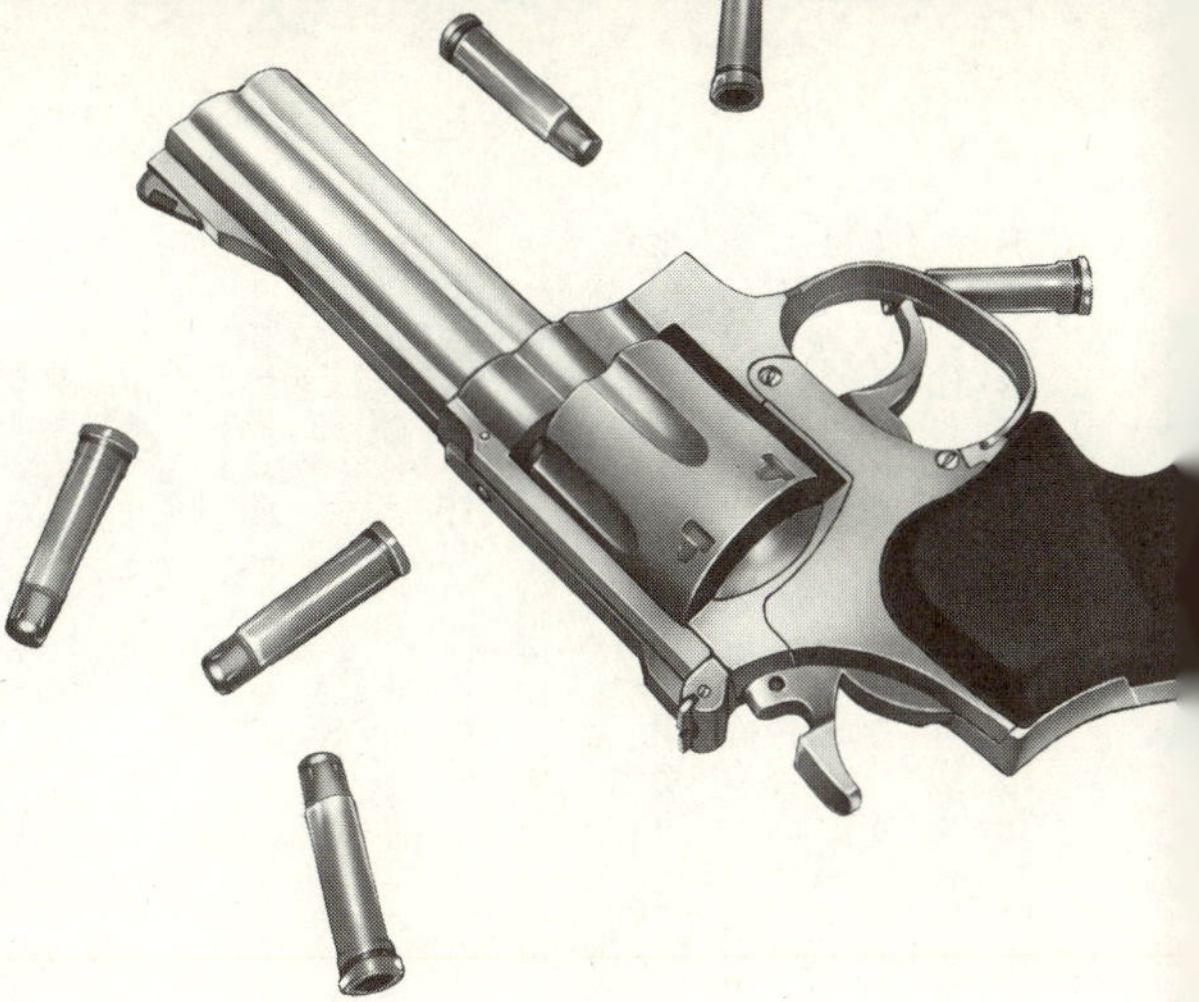

CROCRO-CLOCK 1/6 HITOMA IRUMA

一日目

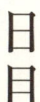

黒田雪路

黒田《くろだ》雪路《ゆきじ》は緊張《きんちょう》していた。普段はだらしなく緩《ゆる》んでいる口もとも引き締《し》まり、目尻《めじり》が細かく震《ふる》えている。一回り大きく作ってしまい、肩の部分がだらしなく垂《た》れてしまっている背広《せびろ》も今は肩が上擦《うわず》ることで、丁度《ちょうど》よくなっていた。両手の指を絡《から》ませたまま、ジッと俯《うつむ》いている。

開業初日から客が押しかけてくる可《か》能性《のうせい》は低い。理解しつつも、今日から一国一城《いっこくいちじょう》の主《あるじ》という気負《きお》いもあって、黒田は過剰《かじょう》な期待と不安を抱いていた。手汗《てあせ》を膝《ひざ》で拭《ふ》き取る。

雑居《ざっきょ》ビルの6Fの一室を借りて、黒田が始めた仕事は『殺人』だった。黒田雪路という男は殺し屋であり、既《すで》に別の事務所に在籍《ざいせき》して多くの実績を上げていた。数年ほど勤《つと》めていたが今年になって独立の意思を固めて、その半年後にこうして開業にこぎつけることとなった。

勤めていた事務所から開業祝《いわ》いはなかった。この業種は近隣《きんりん》に同業者が現れると共存共栄《きょうぞんきょうえい》とはいかずつぶし合いになる確率《かくりつ》が高い。まったく歓迎されることがないのも当然だった。

その代わりに、友人から送られた派手《はで》な花が入り口を飾《かざ》っている。大々的に表《おもて》には置けないので、事務所の中を賑《にぎ》やかにしていた。絢爛《けんらん》な花束《はなたば》の中には送り主《ぬし》の名前があり、『木曽川《きそがわ》』

とあった。その名前を一瞥《いちべつ》して黒田は同業の友人の軽薄《けいはく》な笑顔《えがお》を思い出す。最後に会ったのは二ヶ月ほど前だろうか。

「これは、あれかな。あいつが事務所でも開いたときのお返しを催促《さいそく》されているわけか」

その友人とは議論の末に『最初の依頼人《いらいにん》はちょっと訳《わけ》ありの美女がいい』という結論に合意した。『贅沢《ぜいたく》を言えば次も、その次も美女がいい』という結論も出た。ようするに美女ならいつでも歓迎ということである。二十代前半の黒田としては、当たり前の意見だった。

だがまずそんな妄想《もうそう》通りに行かないだろうとは思っていた。事務所を見渡せば現実がある。

黒色のデスクと、ビルに入っている別の事務所から譲《ゆず》り受けた中古の書棚《しょだな》だけではどうにも美女を招《まね》くのに相応《ふさわ》しい華《はな》がない。壁《かべ》に少々の絵画か観葉植物でも飾《かざ》る予定だったが、業界への宣伝《せんでん》やその他諸々《もろもろ》の出費で貯蓄《ちょちく》のほとんどを出し尽《つ》くし、そちらに回す余裕《よゆう》がなかった。

正面に建つマンションの所為《せい》で、窓《まど》からの景色も面白《おもしろ》みがない。だが愚痴《ぐち》をこぼすわけにもいかない。そのマンションには黒田の借りている部屋《へや》があるからだ。2Fの隅《すみ》にある部屋は窓から見下ろしても覗《のぞ》けないが、そこの住人である以上は文句《もんく》を言うわけにもいかないだろう。

雑居ビルの6Fには黒田の他に、企画《きかく》申し込みの代理会社がお隣《となり》さんとして入っている。黒田が先月にデスクやらを運び込んだ際は、陶芸《とうげい》教室の参加者を募集《ぼしゅう》していた。現在《げんざい》は激痩《げきや》せを謳《うた》い文句《もんく》にしたヨガ教室の申し込み広告《こうこく》を表に貼《は》っていた。更《さら》にその隣には、本当に小さなスペースに画商《がしょう》が入っている。黒田が挨拶《あいさつ》に行ったら危うく壺《つぼ》を売られそうになったので、慌《あわ》てて逃げてきた。ただ人数も少なく、騒《さわ》がしいわけではないので黒田《くろだ》としても特に文句《もんく》はない。その他事務所《じむしょ》について細々とした不満を除《のぞ》いて一つ大きなものがあるとすれば、高さだろうか。ここしか都合《つごう》のよい場所が借りられなかったのでやむを得ないとはいえ、6Fというものは黒田に不満と、大きな不安を与える。ようするに高いところが苦手なのだ。

座《すわ》っているのも限界となった黒田は立ち上がって落ち着きなく事務所内を歩き回り、借りたときから備わっていた日捲《ひめく》りカレンダーを捲《めく》る。これで世間同様《せけんどうよう》、事務所にも6月1日が訪れる。31日を手の中で握《にぎ》り潰《つぶ》して、黒田はまたうろうろと、デスクの側を行き来する。

窓際《まどぎわ》からちらりと下の様子《ようす》を覗《のぞ》くと、歩道を行く女性が見えた。だがその直後にくらりと目《め》眩《まい》のようなものが訪れて、慌《あわ》てて身体《からだ》を引いた。窓は開いていないが、それでも恐ろしい。

まだ空《から》っぽの書棚《しょだな》の奥にしまってある仕事道具を引っ張り出す。散々悩《さんざんなや》んだ末《すえ》に拳銃《けんじゅう》を使うことにして、やはり仕事道具にはこだわるべきだろうと思い、黒田は開業前に一式購入《いっしきこうにゅう》することを決めた。知り合いのツテで紹介《しょうかい》された男から渡されたそれの包み紙を外して、事務所の緑色のソファに乱暴《らんぼう》に腰《こし》かけながら確かめる。光沢《こうたく》の少ない、暗い藍色《あいいろ》のそれを天井《てんじょう》の照明に透《す》かすように掲《かか》げて、構える。指を引き金にかけて、撃《う》つ真似《まね》をした。

黒田は刃物《はもの》の類《たぐい》を一切《いっさい》使わない。そんな前時代的な殺人などやっていられないという信念の持ち主だった。そういう点では友人である木曽川《きそがわ》とソリが合わないため、よく口論になる。今までは事務所から借り受けたものを使っていたが、これからは専用のものが必要《ひつよう》となる。

また滑《すべ》りだした手のひらを拭《ふ》いた後、客に出すお茶と菓子《かし》の確認《かくにん》をしようと、黒田が拳銃を放り出す。テーブルにそれら一式を置きっぱなしのまま、事務所の流し場に忙《せわ》しなく移動した。

小さな冷蔵庫《れいぞうこ》を開けて、茶菓子《ちゃがし》の包みを取り出す。ぽんと客に渡すのも失礼だろうと、茶色いお盆《ぼん》に並べておくことにした。最初ぐらいは奮発《ふんぱつ》しようと、松坂屋《まつざかや》の地下に出店する『とらや』で買ってきたもなかを丸いお盆に並べる。甘党《あまとう》の黒田としてはすべて自分で食べてしまいたいぐらいだったが、三色のもなかに唾《つば》つけることなく並べ終える。客が来なかったら数日後には、黒田の昼食となっているだろう。その機会がないほど繁盛《はんじょう》することを期待しながら、黒田がお茶の葉とインスタントコーヒーの用意が万全《ばんぜん》であることを確認した。ついでに昼前でそろそろ飯《めし》の時間だなぁ、なにを食べようなぁと思いを巡《めぐ》らす。社会人となってから、黒田の楽しみは食べることぐらいしかなくなっていた。

あまりに汚かった流し場は黒田が三日かけて掃除《そうじ》し終えた。その清潔《せいけつ》さを指でなぞって満足しながら、またソファにかけ直す。今のところは一度も稼《か》働《どう》していないファックスを一瞥《いちべつ》した後、電話の電源がちゃんと入っているかとコンセントを目で追う。入っていた。息《いき》を吐《は》く。

黒田が住むのは名古屋駅《なごやえき》のほど近く。外に出て少し歩けば、不満を堪《こら》えるような顔つきの人が日々溢《あふ》れている。それだけの人がすれ違《ちが》い、誰《だれ》かと関わり、顔を上げないようにして生きているのだ。だから、殺人の依頼《いらい》ぐらいすぐ来るだろう。黒田は楽観的《らっかんてき》にそう考えていた。

そしてその甘《あま》い見通しは、意外にも実現することになる。

次はなにをチェックしておこうかと黒田《くろだ》が首を捻《ひね》ったところだった。扉《とびら》を外からノックする音が聞こえて、肩が上着の余《あま》りと共《とも》に跳《は》ね上がる。慌《あわ》てて立ち上がった黒田が「はい」と返事をして駆《か》け出そうとするが、「おっと」とデスクの上を見て一旦《いったん》止まる。

お茶菓子《ちゃがし》にかまけてしまい忘れていた拳銃《けんじゅう》を上着の内側にしまった後、黒田が入り口に小走りで向かう。鍵《かぎ》など元《もと》よりかけていない扉を開けると、背筋《せすじ》の伸びた女性が立っていた。

この人が、事務所の最初の依頼人《いらいにん》。

いや、本当に依頼人なのだろうか？　ぬか喜《よろこ》びしないように慎重《しんちょう》になって確認《かくにん》を取る。

「ご依頼の方、でしょうか？」

「はい」

女性がはっきりと頷《うなず》く。初の依頼人であることが確定して、黒田が思わず笑顔《えがお》となる。細身《ほそみ》な女性なので、隣《となり》と間違《まちが》えているかどうかは確かめる必要《ひつよう》がない。激痩《げきや》せエステとは無縁《むえん》だろう。

しかも黒田の要望通《ようぼうどお》り、美女だった。多少《たしょう》歳《とし》は行《い》っているようだが、衰《おとろ》えを感じさせない、知性《ちせい》の滲《にじ》んだ美貌《びぼう》を伴《ともな》っている。落ち着き払《はら》った女性に会釈《えしゃく》されて、黒田も恐縮《きょうしゅく》したように頭を下げる。下げた頭が隠《かく》す顔は、絨毯《じゅうたん》もなく素《そ》っ気《け》ない床《ゆか》を見つめてにやけていた。

これは、神が開業祝《いわ》いをよこしてくれたに違《ちが》いない。

黒田は柄《がら》にもない信心《しんじん》深さを抱《いだ》きながら、その女性を意気《いき》揚々《ようよう》と緑色のソファに案内した。

岩谷カナ

気づくと意識が遠退《とおの》きそうになっていた。頭がかくんと傾《かたむ》く度《たび》、フッと、途切《とぎ》れそうになる。カナとしても意地《いじ》を張らずに寝《ね》てしまいたい気持ちはあったが、昨日《きのう》の朝からずっと寝ていないことを思い出してつい、勿体《もったい》なく感じてしまう。なにが勿体ないのか、冷静になると意味は分からないのだがカナは冷静になどならない。なったらそのまま寝てしまうからだ。

岩谷カナは今日も徹夜《てつや》で朝を迎えて、そのままずっと起きている。だがその間、生産的なことはなにもしていない。一日、そして一晩中《ひとばんじゅう》ネットを巡《めぐ》っていた。オンラインゲームの類《たぐい》に参加するわけでもなく淡々《たんたん》と時間を過ごしていた。時々動画を見て、ふと思いついた単語《たんご》を検索《けんさく》して、その豆《まめ》知識に見入る。そんなことだけで時間を延々《えんえん》と潰《つぶ》して、今に至《いた》る。

カナは今年で六年生を迎えている。当然ながら小学校ではなく、大学での六年目だ。四年生になってからほとんど通わず、単位《たんい》はまったく足りていない。四月からこの二ヶ月間、一度も大学には行かず、履修登録《りしゅうとうろく》も行っていない。後期に最大単位まで取れば一応は卒業できるが、カナの関心はそこになかった。留年《りゅうねん》した段階で学費《がくひ》や生活費の仕送りも実家《じっか》から打ち切られて、家族には迷惑《めいわく》をかけていない。損《そん》をするのは自分に無償《むしょう》で金を出している物好《ものず》きだけだった。

頬杖《ほおづえ》で重い頭や瞼《まぶた》を支えるのも限界が訪れて、カナが立つ。動画を再生《さいせい》しっぱなしにしたまま パソコンから離《はな》れて、物が所構わず置かれた部屋内《へやない》をそろりそろりと歩く。ソファの上には脱《ぬ》ぎ捨てた服や下着が放置されて、床《ゆか》には読み終えた漫画《まんが》やペットボトルの塔《とう》ができている。真《ま》っ白なテーブルの上にはコンビニの袋と、そこに突《つ》っ込まれた雑多《ざった》なゴミで敷《し》き詰《つ》められている。一ヶ月に一度は大掃除《おおそうじ》をするよう努めているし、肝心《かんじん》の本体はちゃんと毎日風呂《ふろ》に入っているので、問題ない。そうしたカナの見解は、口うるさい友人にいつも否定《ひてい》される。

その友人がカナの部屋を訪ねてきたのは、顔を洗ってから清潔《せいけつ》なタオルを選んでいる最中《さいちゅう》だった。チャイムを鳴らされて、カナは咄嗟《とっさ》に選んだ緑のタオルで顔の水滴《すいてき》を拭《ふ》き取った。

今のカナの部屋へやってくるのは一人しかいない。外を確認《かくにん》もせずにカナが扉《とびら》を開ける。

マンションの廊下《ろうか》には予想通り、よれよれのパジャマ姿のカナと対照的《たいしょうてき》にきっちりとした、紺色《こんいろ》の服装《ふくそう》の女性が立っていた。タカシマヤの店員の制服を着た、少し化粧《けしょう》の濃《こ》い女が腰《こし》に手を当ててカナを見下ろしていた。

「おー、ギャッピー。おはようちゃん」

カナが廊下の眩《まぶ》しさに目もとを覆《おお》いながらも、もう片方の手をあげる。ギャッピーと呼ばれた女はそのあだ名らしきものが気に入らないのか、眉間《みけん》にシワが寄る。ただ慣《な》れているらしく、反論することもなく靴《くつ》を脱ぎ出す。カナの靴とサンダルが一足ずつしかないため、玄関だけは綺麗《きれい》なものだった。ただ、その靴は履《は》き潰《つぶ》れてボロボロで、見るに堪《た》えないものとなっている。犬《いぬ》か猫《ねこ》に悪戯《いたずら》されてズタボロになった、と説明されても納得《なっとく》できる有様《ありさま》だ。

「いい加減《かげん》、靴ぐらい買ったら？　不動産屋《ふどうさんや》の横に靴屋あるじゃない」

「あー、まだ潰れてなかったの？　がんばるねぇ、えらいえらい」

カナのふわふわとした独特《どくとく》の喋《しゃべ》り方に、ギャッピーがまた剣呑《けんのん》な顔つきになる。

「いつから引き籠《こ》もってんのよ、まったく」

「えぇ、出かけたよぉ。えっと、ビッグカメラんとこもうちょっと向こう行って、がーっと歩いたとこにある王将《おうしょう》まで行った。あそこはお昼時いっつもいっぱいだから、わざわざ並んだんだよ。コンビニの隣《となり》んとこのすき家でもよかったんだけど、昨日《きのう》はチャーハンの気分だったの」

「そのパジャマで？」

「上にジャージだけ羽織《はお》っていったよ」

カナの保有する服は大まかに分けて、パジャマとジャージの二種類しかない。大学に通っていた頃《ころ》の服は放っておいたらボロぞうきんのようになってしまった。見かねたギャッピーが『勿体《もったい》ない』と縫《ぬ》って本当にぞうきんにしてしまい、流し場をカラフルに彩《いろど》っている。

リビングに引き返しながら、カナがへらへらと笑う。後ろを行くギャッピーが首を傾《かし》げた。

「よかったねぇ」

「なにが？」

30ℓ

「え、だってあたしがいなかったら、ギャッピー無駄足《むだあし》だったよ」

大学に行っていないことを正当化《せいとうか》しようとする友人に、ギャッピーが黙《だま》る。しばらくの沈黙《ちんもく》の末《すえ》、「アホ」とカナの額《ひたい》を叩《たた》いた。それ以上に適した形容が思いつかなかったようだ。

カナは叩かれたことに唇《くちびる》を尖《とが》らせながらも、床《ゆか》のペットボトルと服を適当《てきとう》に蹴《け》り飛ばして、ギャッピーの座《すわ》る場所を作る。それからソファの上に転がっていた、枕代《まくらが》わりのクッションを置いた。ギャッピーは遠慮《えんりょ》なくそこに座る。カナは服の山の上に膝《ひざ》を立てて座りこんだ。

カナとギャッピーは同い年だが、纏《まと》うものは大きく異《こと》なる。ギャッピーの方は服装《ふくそう》に加《くわ》えて髪型《かみがた》も後ろで纏めて、顔に照《て》りがあった。幼《おさな》さに乏《とぼ》しい切れ長の目つきは生来《せいらい》のものだが、大人として十分《じゅうぶん》に機能しているのが伝わってくる。逆にカナは化粧《けしょう》もせず、髪《かみ》も自分で適当に切ったので統一感《とういつかん》のない長髪《ちょうはつ》となり、更《さら》に日に当たらないせいか高校生のような、成熟《せいじゅく》していないあどけなさがつきまとう。背が低いこともあり、座っていると子供そのものだった。

「今日お仕事休み？　じゃないよね、その格好《かっこう》」

「上手《うま》く抜け出してきてる。ご飯《はん》食べたらすぐ戻るわよ」

ギャッピーが鞄《かばん》から弁当箱《べんとうばこ》の包みを出す。それを見てカナがアシカのように手を叩いた。

「すげー。まだお弁当作ってんだ」

「早起きが苦《く》じゃないから。あんたの昼ご飯は？」

「大体《だいたい》はすき家かコンビニ。駅《えき》の方行って左行ったところのナントカうまし？　もたまに行く」

指折《ゆびお》り数えながらカナが答える。駅《えき》の近くに住んでいるということもあり、ギャッピーの働《はたら》くタカシマヤにも冷やかしに行ったことはあるが、働く姿を見られるのが恥《は》ずかしかったのか『二度と来るなこの野郎《やろう》』と追い返されて以来、駅の中へ入っていくことがなくなった。

予想通りの答えにギャッピーがしかめ面《つら》となる。その顔をどう判断したのか、カナが笑顔《えがお》で促《うなが》した。

「後で行くから気にしないで食べてよ」

「気にしてはいないけど」

ギャッピーが小さな弁当箱《べんとうばこ》を箸《はし》でつつき出す。気にしないでと言いつつカナは側で食べる姿を凝視《ぎょうし》して、いかにも目線《めせん》で『なにかくれ』と訴《うった》えている。その視線《しせん》に気づきながらも、ギャッピーは無視《むし》を決め込む。一度やり出すと際限《さいげん》がなくなるのを知っているのだ。

「……あなたは鳩《はと》に餌《えさ》をあげない人ですか？」

「鹿《しか》に煎餅《せんべい》もあげない人。……なにこれ、玩具《おもちゃ》？」

ギャッピーがふと目に留まった、テーブルの脇《わき》にあるものを拾う。それはどう見ても『拳《けん》銃《じゅう》』と呼ばれる形状のもので、持ち手がいやに黒く、人の目を引き込む。ギャッピーがなんの気なく、玩具として扱いカナに銃口《じゅうこう》を向ける。カナは思わず尻《しり》が浮きそうになったが、見えない位置で足を抓《つね》って平静を保つ。

「うんまぁ、そんな感じ。通販《つうはん》で買ってみた」

「またムダなお金を使って。あんた、どこからお金が出てくるの？」

「内緒《ないしょ》」

カナは短く答えて目を逸《そ》らす。ギャッピーは、親の仕送りが止まっていることを知らない。しかし仕送りだけでどうにかならないとは分かっているようで、カナのことを疑っていた。

ギャッピーが拳銃を床《ゆか》に放り捨てた後、あたりを見回す。

「お茶は？　ある？」

「うんあるある。冷蔵庫《れいぞうこ》から取ってきちゃっていいよ」

カナが促《うなが》すと、ギャッピーが立ち上がる。無論《むろん》、弁当箱は持って流しに向かった。

舌打《したう》ちした後、カナはギャッピーが無造作《むぞうさ》にほっぽった銃《じゅう》を拾い上げて、「んー」と首を捻《ひね》る。

それが本物か否《いな》か、まったく知識のないカナには判別がつかなかった。

岩谷《いわや》カナはこの拳銃を購入《こうにゅう》したわけではない。偶然《ぐうぜん》、拾ってしまったのだ。

昨日《きのう》、マンションから少し離《はな》れた場所にある駐車場《ちゅうしゃじょう》を自転車で横着《おうちゃく》に横切ったとき、夜間だったせいで地面に転がるそれに気づかず、車輪で踏《ふ》んでしまった。危うく転びかけたカナは憤慨《ふんがい》しながら地面を睨《にら》み、そしてこの拳銃を見つけてしまったという次第《しだい》である。

拾ったときは模造品《もぞうひん》、玩具だと思ったのでそのまま拾ってきた。だが部屋《へや》に戻ってその重みや質感《しつかん》から、『あれ、本物かも』と疑念が湧《わ》いた。そうなると厄介《やっかい》なことになりそうだった。

引き金を一度引いてしまえば答えは明らかになるが、カナにその勇気はなかった。

一人きりになると、忘れかけていた眠気《ねむけ》がすぐ押し寄せる。試《ため》しに、拳銃《けんじゅう》の銃口《じゅうこう》を自分の鼻に向けると欠伸《あくび》が一瞬《いっしゅん》で吹《ふ》っ飛んだ。威圧感《いあっかん》に押されたように仰《の》け反《ぞ》って、拳銃を床《ゆか》に置く。

これは眠気覚ましに最高だ。引きつり笑いと背中の冷《ひ》や汗《あせ》に不快《ふかい》を覚えながらも、カナが頷《うなず》く。拾ってしまったものがもし本物だとしたら、警察に届けてもややこしいことになる。何度呼び出されて事情《じじょう》聴取《ちょうしゅ》されるか分かったものじゃない。最悪《さいあく》、持ち主《ぬし》と勘違《かんちが》いされて銃刀法違反《ほういはん》というやつに引っかかるかもしれないのだ。それぐらいなら、自分で有効《ゆうこう》に活用してしまおう。カナなりに精一杯《せいいっぱい》に前向きとなった結果、拳銃への対応はそう決まった。

緑茶《りょくちゃ》のペットボトルを脇《わき》に挟《はさ》んで、ギャッピーが戻ってくる。黙々《もくもく》と弁当《べんとう》を食べ進めるが、冷凍《れいとう》食品のエビ寄せフライを、最後に一つカナの口もとに差し出す。カナは嬉々《きき》としてそれに飛びつき、箸《はし》ごと噛《か》む。その食いつきのよさに、ギャッピーの整った顔もほころぶ。

カナのふにゃふにゃした笑顔《えがお》に、ギャッピーは弱い。不思議《ふしぎ》と人当たりがよく、周囲《しゅうい》に許されるものがあった。カナ自身《じしん》は、それを自覚《じかく》すると魅力《みりょく》が薄《うす》れることまで理解していて、敢《あ》えてぼかしたまま日々を生きるようにしていた。幸《こう》か不幸《ふこう》か、カナの頭はある日を境《さかい》に常《つね》に靄《もや》がかかり、なにかを考えるのが難《むずか》しくなっていた。それが無気力《むきりょく》の原因《げんいん》でもある。

ギャッピーが食べ終わって弁当箱を片づけるのを見届けてから、カナが動く。ソファの上の下着や脱《ぬ》ぎ散らかしたパジャマを窓際《まどぎわ》に放り投げて、寝床《ねどこ》を作る。

「一緒《いっしょ》にお昼寝《ひるね》でもする？」

カナが誘《さそ》うと、ギャッピーがしかめ面《つら》で拒否《きょひ》した。

「すぐに仕事。大学生が羨《うらや》ましいわ」

嫌《いや》みを込めてカナを一瞥《いちべつ》する。カナはそれに対しても動じない。

「うん。いいよねぇ、学生」

しみじみとカナが言う。ほのぼのと、場にそぐわぬほど暢気《のんき》な態度《たいど》にギャッピーが呆《あき》れる。

カナも以前は漫画《まんが》喫茶《きっさ》で働《はたら》いていたのだが、その店が今年の三月末に閉店《へいてん》してしまった。隣《となり》の古い映画《えいが》館《かん》が取り壊《こわ》しとなって、それとあわせて店を畳《たた》むことになった。以来、カナはなにもせず自堕落《じだらく》に過《す》ごしている。働くことも、大学へ行くことも、率先《そっせん》して遊ぶこともない。

誰《だれ》とも出会わず、カナのことを心配して訪れる友人はギャッピーだけだ。

「ところで、今日はなにしに来たの？」

身《み》を案じてくれるのはいいが、余計《よけい》なお節介《せっかい》まで焼く性格なのでそれを警戒《けいかい》していた。カナが及《およ》び腰《ごし》と曖昧《あいまい》な笑顔で尋《たず》ねると、ギャッピーが冷淡《れいたん》に答える。

「あんたに履歴書《りれきしょ》を買わせるため。ほら、一緒にコンビニ行くわよ」

「えぇー」

カナが露骨《ろこつ》に不服《ふふく》の声をあげる。身《み》をひいて逃げ出そうとするカナを軽々と捕《つか》まえて、ギャッピーが立つ。まるで躾《しつけ》の悪い子供を叱《しか》るようだった。捕まえたまま、ギャッピーが顎《あご》で入り口の扉《とびら》を指す。カナは床の拳銃を見下ろしながら、しかしやはり無気力な態度《たいど》を崩《くず》さない。

「非生産的《ひせいさんてき》な人間にならないように」

「ぎゃっぴー」

友人のあだ名ではなく、悲鳴《ひめい》のようにカナが口にする。

そのまま猫《ねこ》のように首根《くびね》っこを掴《つか》まれたカナは渋々《しぶしぶ》、ボロボロの靴《くつ》に足を通した。

首藤祐貴

登校前《とうこうまえ》。授業を待《ま》つ間。授業中。常《つね》に肌《はだ》に直接触《ふ》れるその冷たさに、思わず身震《みぶる》いする。教室にずっといながら、誰《だれ》の声も曖昧《あいまい》だった。後方の席《せき》に座《すわ》る首藤祐貴《しゅとうゆうき》にとって、昨日《きのう》から変わりなく続く現実など、今や色褪《いろあ》せて見えていた。祐貴の意識《いしき》はたった一つの道具によって大きく変遷《へんせん》し、未《いま》だその渦《うず》が不安定に刺激《しげき》している。少し前屈《まえかが》みとなり、服の上から脇《わき》を押さえている姿は傍《はた》から見れば腹痛《ふくつう》を我慢《がまん》しているようにしか見えないが、今の祐貴に客観性《きゃっかんせい》を求めるのは酷《こく》というものだった。

高校三年生、今年で十八歳《さい》になる首藤祐貴の懐《ふところ》には拳銃《けんじゅう》があった。今までの貯金《ちょきん》をすべて吐《は》き出して購入《こうにゅう》に踏《ふ》み切り、昨日、遂《つい》に受け取ったそれを祐貴はずっと手放せないでいた。昨晩《さくばん》は就寝時《しゅうしんじ》ですら、枕元《まくらもと》に添《そ》えていたほどだ。それほどまでに意識《いしき》し、そして愛《いと》おしかった。

祐貴は凡百《ぼんびゃく》という言葉《ことば》の似《に》つかわしい高校生だった。大半の学生と同様《どうよう》、特別なにかに秀《ひい》でているわけでもない。一念発起《いちねんほっき》して勉強にいくら時間を費《つい》やしても勝てない相手《あいて》はいて、部《ぶ》活動《かつどう》に青春のほとんどを捧《ささ》げても活躍《かつやく》することは叶《かな》わない。祐貴は剣道部《けんどうぶ》に所属《しょぞく》して以来一度も練習を休んでいないが、団体戦に彼が選ばれる気配《けはい》はまったくなかった。

　そうして挑《いど》み続けてきた結果、祐貴《ゆうき》は他の同級生《どうきゅうせい》よりも『才能《さいのう》』の壁《かべ》を知っている。努力ではどうにもならない特別なものが人にはあり、それが人と人との間に隔《へだ》たりを生む。あらゆる争いには才能の優劣《ゆうれつ》が関わり、また動機のすべてであると祐貴は思いこんでいた。

　そう信じるのは、もう一つの理由があった。

　首藤《しゅとう》祐貴には奇妙《きみょう》な縁《えん》がある。

　彼は才能ある者と巡《めぐ》り会うという、奇縁《きえん》に恵《めぐ》まれていた。

　幼稚園《ようちえん》に通っていたときからそれは発揮《はっき》されていた。彼の友人は皆、幼少期《ようしょうき》から類《たぐ》い希《まれ》な才能を発揮して注目《ちゅうもく》される者ばかりだったのだ。ピアノでも、暗算《あんざん》の類《たぐい》でも、変わったところではけん玉で素晴らしい技術を見せて特集された者もいる。そうした才能を開花《かいか》させていく様《よう》子《す》を間近《まぢか》で見せつけられることが、小学校、中学といつまでも続くことから、祐貴は己《おのれ》の運命《うんめい》がそういうものであると悟《さと》った。祐貴自身《じしん》に才能はないが、才能と出会うことはできるのだと。

　無論《むろん》、本人にとってはまったく歓迎できないことだ。周《まわ》りの人間が大成《たいせい》したところで、素直にそれを喜んでばかりいられるほどの度量《どりょう》はない。それにそうした人間は祐貴に言わせれば、器《うつわ》が大きいのではなく『鈍感《どんかん》』にすぎなかった。相手《あいて》の才能をただ受け入れるだけでは、自身がそれをバネにして成長する機会《きかい》を失う。勝負《しょうぶ》と優劣にこだわる祐貴は、そう考えていた。

　しかし祐貴自身、バネにして成長するどころか才能に屈《くっ》するばかりだった。理解もできず、受け入れず、みっともなく嫉妬《しっと》するばかり。そうした自分の在《あ》り方を嫌悪《けんお》しながらも今まで抜け出せないでいた祐貴を救ったのは、愛《あい》でも友情でもない。拳銃《けんじゅう》だった。

今や自分は普通の高校生などではない。拳銃という、人の命を奪《うば》うことすら容易《たやす》い道具を、普通の人間が手にする機会《きかい》などまずないものを、肌身《はだみ》離《はな》さず持ち歩いているのだ。祐貴は才能と鉢合《はちあ》わせる自身の性《せい》を呪《のろ》いと捉《とら》えていたが、遂《つい》に自らもその才能に対抗《たいこう》するものを手にした。

興奮《こうふん》で目がぎらつき、落ち着かないのも当然といえた。

祐貴は拳銃を買ったなどと思っていない。特別を手にしただけなのだ。

目下《めした》、この教室にもいる。祐貴が常々羨《つねづねうらや》むほどの才能を有《ゆう》した同級生が、一人。

その同級生の背中は目の前にある。いつもはそれを見るのを嫌《きら》い、俯《うつむ》いてばかりだ。

だが、今は違《ちが》う。祐貴は外側から与えられる勇気に支えられて、ここにいる。

劣等感《れっとうかん》も、今は耐《た》えられる。俯くことなく背筋《はいきん》を伸ばして、笑うことさえできる。

なにしろ祐貴は今、『特別』を手にしているのだ。

時本美鈴

給食を班《はん》のみんなと一緒《いっしょ》に食べている間、時本美鈴《ときもとみすず》はずっとワクワクしていた。

放課後になったらいの一番に走って、『六位』を殺す予定だったからだ。それを実行に移すのを想像《そうぞう》するだけで、普段《ふだん》は半分ほど残してしまう黒パンも食《しょく》が進む。その食べ方と勢いに、普段の猫《ねこ》を被《かぶ》った美鈴を知る班員《はんいん》は意外なものを見る目になっていた。

母親譲《ゆず》りの自然にふわふわと曲《ま》がる髪《かみ》は美鈴の自慢《じまん》である。それをボブに切り揃《そろ》えていると、髪型《かみがた》だけは大人びた印象《いんしょう》になる。だが背丈《せたけ》は小学六年生の平均《へいきん》よりずっと低く、背の順になるといつも先頭に立つことになる。美鈴はそれを苦《く》にしていない。チビにはチビなりに得《とく》なことがあるのを学んでいるのだ。

たとえばあと二年ぐらいは、小学生料金でバイキングに行けるとか。主《おも》に料金の方面だった。

黒パンを一口分《ひとくちぶん》残して、美鈴が別の皿《さら》を取る。トマトビーンズを箸《はし》で一粒《つぶ》ずつ摘《つま》んでは口に運んでいく。その間も班員たちとは朗《ほが》らかに会話を交《か》わし、無難《ぶなん》に受け答えしている。だが美鈴の関心はあくまで放課後にあり、自分がなにを話しているのかもほとんど聞き取っていない。

今日の美鈴の青いランドセルの中には拳銃《けんじゅう》とノートがある。溜《た》め込んでいたお年玉や、祖父《そふ》、祖母《そぼ》から貰《もら》えるお小遣《こづか》いをすべて支払《しはら》うことで拳銃を購入《こうにゅう》したのだ。ネットで拳銃を買えることを知ったのは偶然《ぐうぜん》だが、知るやいなやの行動だった。美鈴には拳銃の明確な使い道があった。

それは、嫌《きら》いな人間を殺していくという分かりやすいものだった。

記録《きろく》としてつけ始めたのは今年の三月で、まだ三ヶ月弱《じゃく》しか経《た》っていない。しかし既《すで》に七冊《さつ》目《め》となるノートには、日付《ひづけ》と人の名前が繰《く》り返し並んでいる。彼女が毎日、宿題のついでに更《こう》新《しん》しているそのランキングは『嫌いな人』の順番で、十位まで名前が埋《う》まっている。日々のちょっとしたことで大きく変動するそのランクを日々書き連ねて、美鈴は自分の気持ちというものをはっきりさせて生きていた。それが彼女の小さいなりの哲学でもある。

そしてその表れた気持ちに従《したが》うと、嫌いな人間を始末《しまつ》するという答えに繋《つな》がってしまう。

嫌いな人間などいない方が絶対にいい。だけど、生きている限りは絶対に生まれる。でもいない方がいいというのだから、努力はするべきだ。美鈴は自身《じしん》の内面を偽《いつわ》るのではなく、環《かん》境《きょう》の方にその努力を働《はたら》きかけることにした。それが、嫌いな人間を消してしまうというものだ。

本当は十位から順番に殺していきたいのだが弾《たま》が六発しかないので、六位から狙《ねら》うことにした。余分《よぶん》な弾を買う貯金《ちょきん》はなかったのだ。だから一発ずつ、弾を外《はず》すことなく、確実《かくじつ》に仕留めないといけない。美鈴はそこに強い意気込《いきご》みを見せて、緊張《きんちょう》の類《たぐい》は一切《いっさい》ない。

どんな苦難《くなん》や逆境《ぎゃっきょう》に対しても、悪い意味で前向きになれるのが時本美鈴という少女だった。

ニコニコしたまま、美鈴《みすず》がさりげなく別の班《はん》に目をやる。その視線《しせん》の先で牛乳パックをストローで吸っている女子は、身内《みうち》が狙《ねら》われていることなど一切《いっさい》気づかずに給食に没頭《ぼっとう》している。

今日の美鈴が狙うのは、同級生の小泉菜々実《こいずみななみ》の姉だった。

花咲太郎

「あぁ……嘆《なげ》かわしい」

コンビニの雑誌棚《ざっしだな》を前にして、花咲太郎《はなさきたろう》は頭を振る。被《かぶ》っている緑色のベレー帽《ぼう》を押さえたまま、大げさに嘆いた。帽子《ぼうし》に加《くわ》えてベストと長袖《ながそで》の組み合わせ、そこに白銀《はくぎん》に輝《かがや》くジュラルミンケースを握《にぎ》る姿は異国《いこく》の人間のように映る。それこそ、英国《えいこく》の探偵《たんてい》のようだった。

事実、その青年花咲太郎は探偵事務所に勤《つと》めている、れっきとしたという言い方も妙《みょう》だが探偵だ。主《おも》に迷子《まいご》となった犬《いぬ》や猫《ねこ》の捜索《そうさく》を担当《たんとう》し、時々浮気《うわき》調査《ちょうさ》も行う。殺人事件《さつじんじけん》などには絶対に関わりたくない、推理《すいり》などしたくないというのが探偵としての信念《しんねん》という青年だった。

黙《だま》っていれば女性に評価《ひょうか》される見た目を持ち合わせているが、女の趣味《しゅみ》を語らせれば三秒で唾《つば》を吐《は》かれる歪《いびつ》な性癖《せいへき》を持つ。故《ゆえ》に太郎の好《この》みに準《じゅん》じた『かわいい女の子』が表紙《ひょうし》を飾《かざ》る雑誌《ざっし》は一つもないのだ。あるはずもないのだが、それは世間の都合《つごう》である。太郎の知ったことではない。

昼飯時《ひるめしどき》を迎えて、周辺《しゅうへん》のビルの勤め人や予備校生、専門学校生が各々、昼飯を抱《かか》えて長蛇《ちょうだ》の列を作っている。その分空《あ》いている雑誌棚《ざっしだな》の側で太郎《たろう》は立ち止まり、その列を観察していた。

時折《ときおり》、メモ用紙のようなものを取り出してそれに目をやる。そこに書かれている文字に目を通した後、離《はな》す度《たび》に溜息《ためいき》が漏《も》れていた。太郎は昼飯《ひるめし》を買いに来たわけでも暇《ひま》つぶしでもなく、仕事のためにこのコンビニへやって来ているのだった。

今朝、朝一番に太郎が探偵事務所《たんていじむしょ》へ向かうと既《すで》に客が待《ま》っていた。目の下に青痣《あおあざ》を作った中年で、篠崎達郎《しのざきたつろう》と名乗った。その篠崎達郎という男が依頼《いらい》してきたのは、『紛失《ふんしつ》したモデルガンの捜索《そうさく》』だった。遺失物《いしつぶつ》の捜索も太郎の仕事の内だったが、モデルガンというのは初めてだ。

篠崎達郎曰《いわ》く、昨晩《さくばん》に酔《よ》っぱらいに絡《から》まれていつの間にかなくしたとのことだった。そもそも篠崎達郎は喧嘩《けんか》でもしたように頬《ほお》を腫《は》らし、湿布《しっぷ》をべったりと貼《は》っていたのだ。更《さら》に絡んだ相手《あいて》の特徴《とくちょう》を聞いても、『派手《はで》な感じな気がした。金髪《きんぱつ》で、確か若い。生意気《なまいき》そうなやつだった、と思う』。

自信がないところやバツの悪い態度《たいど》を見ると篠崎自身《じしん》、泥酔《でいすい》していたようである。絡まれたという証言《しょうげん》の信憑性《しんぴょうせい》も怪《あや》しいものだった。酔った篠崎が喧嘩を吹っかけた可能性《かのうせい》も十分《じゅうぶん》ある。

一刻《いっこく》を争《あらそ》う、どうしても見つけて欲《ほ》しいと訴《うった》える篠崎の熱意に押し切られる形で、太郎はその日から動くこととなった。遺失物の捜索は犬《いぬ》を見つけるよりずっと困難《こんなん》なので、太郎としては敬遠《けいえん》したかったが同僚《どうりょう》は浮気《うわき》調査《ちょうさ》の真《ま》っ最中《さいちゅう》だった。手が空《あ》いている所員は太郎だけなのだ。

「モデルガン、ねぇ……」

篠崎曰く絡まれたという共同駐車場《きょうどうちゅうしゃじょう》も当然、ここに来る前に確認してきたがなんの痕跡《こんせき》もない。その駐車場を利用する関係者についてはまだ聞きこみ調査していないが、恐《おそ》らく無駄足《むだあし》になるだろうと考えていた。そこでなくしたかどうかも定《さだ》かじゃないのだ。篠崎はそのときに落とした、盗《ぬす》まれたと断定していたが、太郎はすぐに決めつけない。固執《こしつ》することで生まれる死角《しかく》に探《さが》し物が入りこむとずっと見つけられないことを経験上《けいけんじょう》、危惧《きぐ》していた。

篠崎は断られることを考えてこなかったのか、モデルガンの実物のコピー画像《がぞう》を使って紙で銃を自作して、事務所まで持参《じさん》してきた。多少皺《たしょうしわ》がめだってグリップも短いものの、素人《しろうと》の作品にしては器用《きよう》と評価《ひょうか》するのに十分《じゅうぶん》だった。それを太郎に預けて、捜索の参考にしてくれと言ってきた。

その紙の銃は太郎の持つジュラルミンケースに収められている。だがこの銃口《じゅうこう》なきペーパークラフトを相手に向けて、『これ見ませんでした?』と気軽に人に聞くことはできない。

そもそも、篠崎達郎の紛失《ふんしつ》したものが本当に玩具《おもちゃ》かも定《さだ》かではないのだ。

「まさか、本物じゃないよな……」

太郎が目を細めて呟《つぶや》く。まさかと言いつつも、その可能性を『アリ』に含めていた。いくら精巧《せいこう》で、高価《こうか》な玩具だとしてもよほど訳《わけ》ありでなければ探偵を動かそうとしない。それも朝一番に正座《せいざ》して待ってなどいないだろう。それに篠崎達郎が付け加《くわ》えた条件《じょうけん》がまた胡散臭《うさんくさ》い。

『引き金は引かないでください』

おいおい、と太郎《たろう》は嫌《いや》な想像しかよぎらなかった。

しかも篠崎《しのざき》はそれからすぐ、仕事があるからと走って逃げてしまった。仕事の依頼《いらい》について契約《けいやく》は交《か》わしたが、詳細《しょうさい》を尋《たず》ねる暇《ひま》もなかった。太郎は証言《しょうげん》を纏《まと》めた紙とレジに並ぶ若者を見比《くら》べて、雑《ざつ》な仕事をしていることへの落胆《らくたん》と、疲労《ひろう》に肩を落とす。

篠崎の証言には大体《だいたい》の若者が該当《がいとう》してしまう。金髪《きんぱつ》は多いし、若いやつは大概生意気《たいがいなまいき》だ。

篠崎の頬《ほお》の腫《は》れ具合《ぐあい》と、どちら側が怪我《けが》しているかを思い出して若者の左手を注視《ちゅうし》する。

篠崎は右の頬に湿布《しっぷ》を貼《は》っていた。確証《かくしょう》にはならないが、絡《から》んだ若者は左利《き》きとも考えられる。

勢いよくぶん殴《なぐ》れば、殴った方の手も無事《ぶじ》では済《す》まない。指に湿布でも巻いていないだろうかと期待したが、そういう分かりやすいのには出会《でくわ》さない。しばらく眺《なが》めていたが幸運《こううん》に頼《たよ》るのを諦《あきら》めて、外のゴミ箱の中身《なかみ》回収に走って向かったアジア系《けい》の店員の後を追う。太郎のいるコンビニは共同駐車場《きょうどうちゅうしゃじょう》の目の前にある。店員なら深夜《しんや》の喧嘩《けんか》を目撃《もくげき》しているかもしれない。

袋を持ってゴミ箱《ばこ》をひっくり返す店員の横に太郎が並び立つ。

「すいません、ちょっといいですか」

「ハイ……」

不安げな外人店員に営業用《えいぎょうよう》の笑顔《えがお》を向けながら、太郎が仕事を開始する。

緑川円子

町外れの山と森林の中に潜《ひそ》むように、古い家がある。築《ちく》四十年を越《こ》して、遠くから眺めた者には廃屋《はいおく》と見間違《みまちが》われる。屋根瓦《やねがわら》は幾度《いくど》となく訪れた台風《たいふう》で何枚も失われて、残るものも色褪《いろあ》せている。だが中に住む人間は雨漏《あまも》りさえなければいいと考えて、外見には無頓着《むとんちゃく》だった。自宅兼工房《じたくけんこうぼう》となっているそこに、籠《こ》もりきっている人がいる。中は蒸《む》し暑く、少しくたびれている窯《かま》の前で汗《あせ》は幾筋《いくすじ》も流れていた。半ズボンに半袖《はんそで》のシャツと子供のような格好《かっこう》で、頭にはタオルを巻いていた。その人物は緑川円子《みどりかわえんじ》という。

下の名前は『えんじ』と読むのだが、大抵《たいてい》は『まるこ』か『えんこ』と誤読《ごどく》される。古くは小学校から続いているので既《すで》に慣《な》れているが、性別《せいべつ》まで誤解《ごかい》されるのは頂《いただ》けない。誤読しなかった者は、その言葉《ことば》の響《ひび》きから緑川を男と思うのだ。緑川円子は妙齢《みょうれい》の女性だった。取り立てて秀《ひい》でた容姿《ようし》ではないが、コンプレックスを持つほど酷《ひど》くもない。

引っかかる箇所《かしょ》の少なそうなすらりとした顔つきは中性的《ちゅうせいてき》で、男女どちらからも取っつきやすさを持たれる傾向《けいこう》にある。肌《はだ》と髪《かみ》のどちらも浅《あさ》黒く焼けたような色合いだが、日の下にいる時間はさほど多くない。彼女は大抵《たいてい》の場合、工房に籠《こ》もって仕事に没頭《ぼっとう》していた。

緑川円子《みどりかわえんじ》は陶芸家《とうげいか》である。活動を始めてから六年ほど経《た》つが、名は多少《たしょう》ながら売れるようになっていた。緑川の父は陶芸と無縁《むえん》の会社員だったが、ある日、友人と協力しあって窯《かま》を作り始めた。四ヶ月ほどかけて完成させたのはいいが、二、三度使うだけで飽《あ》きてしまい、以来、何年も火が灯《とも》ることはなかった。それを勿体《もったい》ないと思ったのが、緑川の人生を大きく左右した。

大学を卒業後、親の貯《たくわ》えを食い潰《つぶ》して五年ほどろくろを回したあたりでぽつぽつと評価《ひょうか》され始めた。そして今に至《いた》る。両親は既《すで》に死去《しきょ》して、兄妹の類《たぐい》もいない。親戚《しんせき》付き合いもまったくなく、仕事相手《あいて》以外とは一切《いっさい》、口を利《き》かなくなった。しかしそうした環境《かんきょう》を好《この》むからこそ、緑川はこの職業《しょくぎょう》を選んだ部分がある。自《みずか》らを社会不《ぶ》適合者《てきごうしゃ》と理解しているのだ。礼節《れいせつ》も、敬意《けいい》も欠けた不遜《ふそん》なやつ。人付き合いにまったく価値を見出せない。孤独《こどく》を苦にしない性分《しょうぶん》だった。

最近はそれなりに依頼《いらい》も来る。受けた中で大きな仕事としては、菓子屋《かしや》のプリンを入れるのに使う陶器《とうき》の原形《げんけい》を作成するというものがあった。黒い陶器を大量生産する際《さい》、参考になるものを作ってほしいと頼《たの》まれたことがある。なぜそれを自分に依頼するのか、緑川としても謎《なぞ》だったが作品自体の出来《でき》映《ば》えには満足していた。後日、工場で生産されたその陶器を見てほとんど再現《さいげん》されていないことに落胆《らくたん》したのも、今となっては良い思い出だった。

窯から取り出してきた壺《つぼ》や、依頼されている水差しの出来映えに満足いかないらしく、緑川の表情は暗い。自分用の新しい飯椀《めしわん》にと作った器も、釉薬《ゆうやく》が溶けすぎて板の下に張りついてしまっている。下絵付けに時間をかけた作品だったので、無言《むごん》ながらも落胆《らくたん》が見て取れた。

以前は気に入らなければどれも庭に捨てていたのだが、転がしておいた壺の中に山の雀蜂《すずめばち》が巣《す》を作り、大繁殖《だいはんしょく》して以来放置するのは止めていた。

淡々《たんたん》と割り、黙々《もくもく》と欠片《かけら》を片づける。これが再利用できればなぁと、緑川はいつも惜《お》しい気持ちになる。粘土《ねんど》代《だい》だってバカにならない。金が足《た》りないときは山を無許可《むきょか》に掘《ほ》り返して集めてくるのだが、一日かけての作業となる。その上、足腰《あしこし》が筋肉痛《きんにくつう》となって二日は仕事にならない。その時間と手間も惜しく感じていた。

「師匠《ししょう》、そろそろ出かける時間ですよ」

住み込みの弟子《でし》が外から顔を覗《のぞ》かせる。緑川はまだ二十代後半であり、さして活動が長いわけでもない。そもそも性格上、何歳《なんさい》になっても弟子など欲《ほ》しがらないのだが、その男は一年ほど前に唐突《とうとつ》に訪れて、勝手《かって》に弟子を自称《じしょう》して住み込み始めたのだ。緑川も最初は疎《うと》ましく思っていたが、最近は追い払《はら》うのも諦《あきら》めて、失敗作と同様《どうよう》に半ば放《なか》ってある。給料《きゅうりょう》は払っていないので痛手《いたで》にはならないし、秘書《ひしょ》の代わりも務《つと》めてくれるので、役に立たないことはなかった。むしろ浮世離《うきよばな》れした緑川にとっては重要といえる。その性格上、緑川にとっては不得手《ふえて》である営業という部分を任《まか》せておけるからだ。

「そう。一緒《いっしょ》に山下りる？」

「勿論《もちろん》です。師匠の行くところ、どこまでも行きますよ」

弟子《でし》は絶《た》えず微笑《ほほえ》み、柔《やわ》らかい印象《いんしょう》を与える。金糸《きんし》のような美しい髪《かみ》と、胡散臭《うさんくさ》いほどに人当たりのよい爽《さわ》やかな顔立ち。年齢不詳《ねんれいふしょう》だが若々しく、背も高い。あまり人の見た目にこだわらない緑川《みどりかわ》から見ても、弟子がいわゆる『イイオトコ』に分類されるのは理解していた。ただし、緑川はその弟子の『目』だけは評価《ひょうか》していない。それに個展《こてん》を開く画廊《がろう》では『先生』と呼ばれるため、師匠《ししょう》と呼ばれることには違和感《いわかん》があった。

欠片《かけら》の掃除《そうじ》が終わった後は手と顔を洗い、家の方へ戻って着替える。緑川としてはこのままの格好《かっこう》でいいと思うのだが、弟子から『ダメです』と笑顔《えがお》で否定《ひてい》されるので、渋々着飾《しぶしぶきかざ》る。

緑川は現在《げんざい》、町のカルチャースクールで、陶芸部門《とうげいぶもん》の講師《こうし》を務めている。誰《だれ》かと面と向かって話すことが苦手なのに、講師など向いていない。自覚《じかく》しているのだが、断りきれなかった。個展の開催《かいさい》や客の紹介《しょうかい》について頼《たよ》っている、付き合いのある画商《がしょう》から是非《ぜひ》やってくれと頼まれて、三回ほど断ったが最後は緑川が折《お》れる形となった。常時《じょうじ》二十人ほど参加して意外にも廃《すた》れないため、緑川が早めに終わることを期待してもそう上手《うま》くはいかなかった。

「……こんなんでいいのか？　いいだろ」

着古《きふる》した長袖《ながそで》と、ほつれの見えるジーンズを履《は》いた緑川が鏡《かがみ》の前で自問《じもん》する。それが前回と同じ格好であることに気づいておらず、更《さら》に頭のタオルも外《はず》していないまま部屋《へや》を出た。

外で待《ま》っている弟子はその師匠の様子《ようす》を一瞥《いちべつ》するも、微笑むばかりだ。弟子の方は上下ともに青い背広を着て、これから会社勤《づと》めでもするように整っている。こだわりがあるのか、弟子は普段《ふだん》の作業着も青色で統一《とういつ》している。

粘土《ねんど》を掘《ほ》ってから運ぶ際《さい》に便利なので、父の所有していた軽トラをそのまま乗り回している。後ろの荷台《にだい》にはバケツと大きな箱《はこ》、それに大型のシャベルが転がっていた。

軽トラの助手席《じょしゅせき》に緑川が乗りこむ。免許《めんきょ》はあるものの、運転《うんてん》は弟子任《まか》せだった。

「師匠はいいですね。山奥の陶芸家っていかにもそれっぽいから」

「そうでもないけど」

営業や知人の個展見学、自身《じしん》の個展の打ち合わせに不便《ふべん》なので今どきの陶芸家は山になどあまり住みたがらない。だが緑川はここが実家《じっか》であり、他に住むところがないのだ。

学校についても家から通い通した。独《ひと》り暮《ぐ》らしはどうにも不安だったのである。

「専業《せんぎょう》で生活しているのも羨《うらや》ましいですし」

「そうかな」

そこで弟子が笑う。緑川は連なる林木を窓《まど》から眺《なが》めていて、それに気づかない。

「師匠は『そう』が好《す》きですね」

「そう？」

「そうでしょう」

「そうね」

緑川は淡々《たんたん》と、弟子は柔和《にゅうわ》に受け答えする。

二人の会話はいつも、こんな調子《ちょうし》だった。

黒田雪路

「あの。どんな方でも殺していただけるんですよね」

ソファに座《すわ》るやいなや、女性が開口《かいこう》一番に黒田《くろだ》に尋《たず》ねた。そんな旨《むね》を事務所《じむしょ》の宣伝文句《せんでんもんく》として書いたのは事実だが、念を押されると頷《うなず》くのは少し尻込《しりご》みしてしまう。

お茶の用意をしながら、黒田は温厚《おんこう》な口調《くちょう》で答えた。

「さすがに個人で無理なレベルの相手《あいて》は不可能《ふかのう》ですよ」

「例えばどんな？」

「大統領《だいとうりょう》とか。パスポートも持っていませんし」

黒田なりの冗談《じょうだん》だったが、女性は笑わない。黒田とはまた違《ちが》った緊張《きんちょう》に身《み》を固くしているようで、首や肩の動きがぎこちない。殺し屋への依頼《いらい》なら当然の反応だろう、と眺《なが》めている内に黒田の方は少し落ち着いてきた。初の依頼主《ぬし》が美女だったことへの興奮《こうふん》もよい方向に働《はたら》いている。しかし、殺し屋事務所では少し殺伐《さつばつ》としすぎているというものだ。表向《おもてむ》きは探偵《たんてい》事務所にでもするべきだったかなと、そんなことを後悔《こうかい》しながら茶を淹《い》れた。

自分と女性の分のお茶をデスクに置いてから、黒田が向かい側のソファに腰《こし》かける。

「まだ名前もお聞きしていませんでしたね」

「早乙女《さおとめ》です。早乙女みもり」

「なるほど。あ、俺は黒田です、黒田雪路《ゆきじ》。生憎《あいにく》と名刺《めいし》の類《たぐい》はありませんが」

殺し屋事務所の人間に名乗ったそれが本名《ほんみょう》とは思えない。黒田自身《じしん》、使っている名前は本名とかけ離《はな》れている。本人としてはペンネームみたいなものだと解釈《かいしゃく》していた。そのペンネームばかりが使われて、最近は本名を忘れがちになっている。

「それで早乙女さん。仕事の話の前にお聞きしたいのですが、この事務所についてはどうお知りになりましたか」

お茶菓子《ちゃがし》の載《の》ったお盆《ぼん》を相手側に押しつつ、黒田が質問《しつもん》する。

「それは、なにか関係があるのでしょうか？」

「開業初日ですからね。営業の参考のためにもアンケートは取っておきたい」

黒田がお茶に口をつける。早乙女みもりは茶と菓子の両方に手を伸ばさず、膝《ひざ》もとのハンドバッグの上に握《にぎ》りこぶしを添《そ》えている。殺し屋の出す茶など飲む気にならないのかもしれない。

「知人の紹介《しょうかい》です。どうしてもなら行ってみれば、と」

「知人？」

「ええ」

短い返事と頷《うなず》くだけで、それ以上は語ろうとしない。知人の名前についても黙秘《もくひ》するようだった。黒田《くろだ》は心当たりを探《さぐ》ってみるが、すぐに思い当たる人物はいない。人の繋《つな》がりは意外なところにあるもので、それを把握《はあく》するのは黒田個人《こじん》では無理《むり》というものだった。

「仕事のお願いに移っていいでしょうか？」

早乙女《さおとめ》みもりが話を進めろと丁寧《ていねい》に催促《さいそく》してくる。黒田としては面白《おもしろ》くないが、相手《あいて》は客である。それも最初の客ということで、あまりつまずきたくはない。切り替えて、愛想《あいそ》良くする。

「お待《ま》たせしました、どうぞ」

「この女です」

早乙女みもりがハンドバッグから写真と、履歴書《りれきしょ》のようなものを取り出す。それを黒田に差し出した。黒田はカップをデスクに戻した後、それを受け取る。写真と詳細《しょうさい》を目の高さに掲《かか》げて、両方を同時に見る。左右の目で違《ちが》うものを強く意識《いしき》して見ることができるという、怪《あや》しい特技《とくぎ》が黒田にはあった。その影響《えいきょう》か、黒田は独特《どくとく》の視界《しかい》を持つ。これが彼の危険を救ったことも何度かある。

「緑川《みどりかわ》、まるこ？」

名前を口にする黒田の頭には、某国民的《ぼうこくみんてき》アニメの主人公《しゅじんこう》が浮かんでいた。

「この女性の殺害《さつがい》を？」

「ええ。あなたにお願いしたいのです」

早乙女みもりが頷く。隠《かく》し撮《ど》りとしか思えない荒い画質《がしつ》と手ぶれに写る、タオルを頭に巻いた女性を黒田は見つめる。下唇《したくちびる》を指で押しながら、「へぇ」だの「ほぉ」だのと場を繋《つな》いだ。

「悪い人には見えないな。おっと」

黒田が口を手で覆《おお》う。客の前では私的《してき》な感想など失言《しつげん》だと判断したのだ。

「ご安心を。大統領《だいとうりょう》以外なら殺せますから」

取り繕《つくろ》う黒田に、早乙女みもりの表情は硬《かた》い。若干軽薄《じゃっかんけいはく》にも取れる黒田の態度《たいど》が信用ならないのかもしれない。黒田は咳払《せきばら》いして、詳細の方に目をやる。緑川円子《えんじ》の職業欄《しょくぎょうらん》の部分で、その目が止まった。

「陶芸家《とうげいか》ですか。珍《めずら》しい職業ですね」

「その女の作る作品はこういうのです」

早乙女みもりが別の写真を黒田に渡す。黒田は一瞬《いっしゅん》、間を置いてからその写真も手に取る。その写真には壺《つぼ》が写っていた。こちらの写真には手ぶれがない。茶色い壁《かべ》を背景《はいけい》に、棚《たな》に飾《かざ》られているそれを正面から撮っていた。それを数秒眺《すうびょうなが》めてから、見る写真を手の中で入れ替える。

「話は分かりました。住所も……ちょっと遠いけど、ふむ、ふむ。よし、請《う》けましょう」

初仕事から断ると縁起《えんぎ》が悪そうだし、とは口外《こうがい》しない。黒田はそこそこ縁起を担《かつ》ぐ方だ。

そうして話はある程度纏《ていどまと》まって、その後は細々とした確認《かくにん》と契約《けいやく》についての話し合いだった。料金の確認や、期限の設定の有無《うむ》についても早乙女みもりに尋《たず》ねる。

「いつまでに実行してくれというご希望はありますか？」

「それは特に……早ければそれに越《こ》したことはありません」

「承知《しょうち》しました。俺……あ、いや。私なりに精一杯《せいいっぱい》がんばらせてもらいますよ」

受け取った資料を纏《まと》めながら、黒田《くろだ》が胸《むね》を張る。その言葉《ことば》に偽《いつわ》りはない。せっかく開業した事務所を早々に閉めることがないよう、努力する気概《きがい》は十二分《じゅうにぶん》に溢《あふ》れていた。

だがその熱意は、あまり相手《あいて》に伝わっていないらしい。

「あの、」

「はい？」

早乙女《さおとめ》みもりが前屈《まえかが》みになって、黒田を不安そうに見つめる。なにか不手際《ふてぎわ》があっただろうかと、黒田は少し身構えて、言葉を待《ま》つ。

「あなたは本当に、人を殺せるんですか？」

「……はぁ？　あ、いやいや。ほぅほぅ」

早乙女みもりの問《と》いかけに、黒田が微笑《ほほえ》む。

たまに、こういう依頼主《いらいにん》がいたよなぁと思い返していた。

向かい合う黒田雪路《ゆきじ》が善良《ぜんりょう》な人間に見えるらしく、疑う者がいる。

人殺しなのかどうかを。

殺し屋の証明《しょうめい》。意外と難《むずか》しいものだが、それを解決する一番の方法を黒田は実践《じっせん》する。

ソファから立ち上がって、棚《たな》に向かった。

「こんなのを持ってます」

棚から拳銃《けんじゅう》を引っ張り出して掲《かか》げる。失礼なので銃口《じゅうこう》は向けないが、早乙女みもりもそこで目の色を変える。相手が納得《なっとく》してくれたことを読み取り、黒田が拳銃を棚にしまった。

仕事のとき以外は極力《きょくりょく》持たないようにしていた。当然、警察にでも見られると困るからだ。

早乙女みもりは時計を見上げつつ、ソファに戻った黒田に更《さら》に情報《じょうほう》を与える。

「昼すぎにその女の開く陶芸《とうげい》教室があります」

「教室か。……陶芸教室？　はて、つい最近そんなのを見た覚えが……」

額《ひたい》を叩《たた》く黒田を半《なか》ば無視《むし》して、早乙女みもりが陶芸教室の時間と行われる場所を告《つ》げる。それは名古屋駅《なごやえき》の近く、黒田の事務所からもほど近いビルだった。

早乙女みもりの期待する目を受けて、黒田がやんわりと否定《ひてい》する。

「人目《ひとめ》につきすぎるところでは無理ですよ。でも、見学に行くのは悪くないですね」

無難《ぶなん》な対応で受け流す。早乙女みもりも表向《おもてむ》きは落胆《らくたん》を表さず、「お願いします」と頭を下げた。そのまま立ち上がり、事務所を後にしようとする。黒田はそこで呼び止めて、なにか一つ嫌《いや》みな質問《しつもん》でもしてやろうかと思ったが、心象《しんしょう》悪くしてどうするのだと考えを改めた。

黙《だま》って見送る。それから窓際《まどぎわ》に移動して、強張《こわば》っていた肩を下ろす。緊張から解放されて、ぼうっとした目つきで歩道を見下ろす。まだ口は開かず、ジッと耐《た》える顔つきだった。

やがて早乙女《さおとめ》みもりを下の歩道に確認《かくにん》してから、黒田《くろだ》がようやく溜《た》めていた息《いき》を吐《は》く。

「うーん、よそよそしい美女だった」

なにかが起きるのを期待していたわけではないが、現実はより一層《いっそう》、乾《かわ》いていた。

隠《かく》しごとの多そうな女だなと、黒田はその茶色い頭を見下ろしながら思う。

余分《よぶん》なことを極力《きょくりょく》発言しなかった早乙女みもりだが、唯一《ゆいいつ》、ムダに近い行動に出たのは二枚目の写真だった。壺《つぼ》の写真。不思議《ふしぎ》な模様《もよう》の描《えが》かれたそれは、黒田が仕事を果《は》たす際《さい》にまったく必要《ひつよう》のない情報《じょうほう》だ。それなのに渡したというところに、黒田は大きな違和感《いわかん》を抱《いだ》いた。

緑川円子《みどりかわえんじ》を恨《うら》む理由に、この壺が関係しているのかもしれない。

黒田は直接尋《たず》ねることはないものの、依頼人《いらいにん》の『動機』に強く興味《きょうみ》を抱く。仕事をこなすついでにそれらを解明しようと余分《よぶん》な動きを見せるのは、黒田の最大の悪癖《あくへき》だった。

「好《す》きなんだよね、隠している動機《どうき》を暴《あば》くの。探偵《たんてい》に向いているのかなぁ」

窓際《まどぎわ》から引き返した黒田がもなかのピンク色の包みを一つやぶり、桜《さくら》の花を模《も》したそれを半分ほど囓《かじ》る。中身《なかみ》は白あんで、桜の風味が口の中に強く広がる。茶が欲《ほ》しくなる味だった。

早乙女みもりが一口《ひとくち》も飲もうとしなかったお茶をがぶ飲みしてから、時計を見上げる。

「時間は……昼飯《ひるめし》食べてからでも大丈夫《だいじょうぶ》そうだな」

頭の中に浮かぶ時計の針《はり》を進めて計算しながら、黒田が出かける用意を始める。

まずはその陶芸《とうげい》教室とやらを覗《のぞ》いてみることにした。

岩谷カナ

「おー、メロンブックス。おー、たこ焼き屋。おー、行ったことない漫画喫茶《まんがきっさ》」

「なんで目についたもの一々指差して嬉《うれ》しそうなわけ？」

子供か。そう言ってギャッピーが呆《あき》れる。カナの方はへらへらと笑ったままだ。しかもマンションを出てからも未《いま》だ首根《くびね》っこを掴《つか》まれている。中腰《ちゅうごし》で歩くのもしんどくなってきていた。

マンションから出て金物屋《かなものや》の横の道を抜けて、小さい通りに出てきていた。右手側にはたこ焼き屋があり、そこを真《ま》っ直《す》ぐ進むと大きな道路と大量の車が走っている。製薬《せいやく》会社の大きなビルが目立ち、その横にはカナが三月末までバイトしていた漫画喫茶があった。

「みんな潰《つぶ》れてなくて嬉しいじゃん。向かいの乾物屋《かんぶつや》は潰れちゃってるけど」

「それ、みんなじゃないでしょ……」

通りから離《はな》れて、メロンブックスの前を通過する際にカナが指差す。車道を挟《はさ》んだ向かい側にはイメクラと漫画喫茶があり、カナのいう乾物屋の建物はシャッターを下ろされていた。ギャッピーはそちらを一瞥《いちべつ》するも、なにも言わない。横断歩道を渡って、コンビニを目指す。

実はこちらへ出て来なくとも、すぐ近くにコンビニがあるのだがギャッピーはそれを知らない。カナは敢《あ》えて黙《だま》って運ばれていた。昨日《きのう》、拳銃《けんじゅう》を拾った駐車場《ちゅうしゃじょう》を少し見ておきたいという気持ちがあるからだった。誰《だれ》かが探《さが》しにやってきているかもしれない。

「つーか、そろそろちゃんと歩きなさいよ。おっそいのよ、あんた」

「足短いもん」

カナが反論するとギャッピーに尻《しり》を軽く叩《たた》かれた。カナがセクハラを訴《うった》えて遊んでいると、たこ焼き屋に注文《ちゅうもん》していた焼きそばのパックを大量に抱えた女子社員にあっさりと追い抜かれた。カナはその背中を見送る。それからギャッピーを見上げて、楽しそうに尋《たず》ねる。

「ギャッピーも女子会とかやるの？　ところで女子会ってなに？　女子力とか必須《ひっす》？」

「私たちいい歳《とし》して女子なんですか？　って言ったら誘《さそ》われなくなった」

「おっとー、女子力ゼロだね」

「あんたに言われたくないわ」

パジャマが捲《めく》れてヘソが出ているのを見かねて、ギャッピーが直す。同い年にもかかわらず、母子のようだった。カナもそれを意識《いしき》してか、子供じゃないアピールのように話題を振った。

「ぜんぜん関係ないけどギャッピーは彼氏《かれし》できた？」

「ほんと脈絡《みゃくらく》ないのね」

「ほら結構声かけられるじゃん。マンションにいる、なんかちょいイケメンっぽいやつに。ああいうのとかどうよ」

「そんなのいた?」

「背広のサイズあってない人」

あぁ、とギャッピーも合点《がってん》がいったらしい。空を斜《なな》めに見上げてから、首を傾《かし》げる。

「あれっていい顔なの? 弟を見慣れていると、どうもねぇ」

「あー、ギャッピーの弟さんってイケメンだっけ」

カナは一度しか会ったことがないものの、その顔を思い出す。

「甘《あま》い精悍《せいかん》なマスクで大人気ですなっ」

「どっちだよとか私は突《つ》っ込まないから。あの顔で性格も過剰《かじょう》に甘いからよりどりみどりの癖《くせ》に、ろくでもない女を選ぶ傾向《けいこう》があるからそこだけ心配かな。いつかダメ女に憑《つ》かれそう」

姉の顔となり、ギャッピーが唸《うな》る。そこでカナは嬉《うれ》しそうに、思いついた冗談《じょうだん》を口にする。

「あー、あたしみたいなやつ?」

「そういうこと」

ギャッピーは一切遠慮《いっさいえんりょ》なく頷《うなず》いた。カナはウキキ、とおどけて笑ってごまかすしかなかった。

それから横断歩道をもう一つ渡って、専門学校の前を通ってコンビニに到着《とうちゃく》する。その隣《となり》はすき家で、黄色ののぼりが温《ぬる》い風にはためいていた。カナもよく世話になる店である。

カナたちがコンビニの入り口に着くと、ゴミ箱《ばこ》の側に立つ緑色《みどりいろ》の帽子《ぼうし》を被《かぶ》った青年が、店員に礼をしてから去《さ》っていく。青年の持つ鈍《にぶ》く輝《かがや》くジュラルミンケースが太陽光を反射《はんしゃ》して、カナは思わず目を瞑《つむ》った。ギャッピーも目もとを手で覆《おお》う。

「今のもイケメン？　多分《たぶん》」

「あんた、人の顔なんか興味《きょうみ》ない癖《くせ》に気にするフリ止めなさいよ」

人となりをよく知る故《ゆえ》に辛辣《しんらつ》な友人に、カナはまたも笑って流すしかない。

顔どころか他にも興味のないことだらけなのだ。

カナはそんな自分が穴《あな》ぼこの人間に感じられて、少し気持ち悪いと思っている。

それから、ゴミ箱《ばこ》の中身《なかみ》を袋に纏《まと》めて担《かつ》いだ店員に気安く声をかけた。

「よぅウッチャン」

青と白のストライプの制服を着た店員もカナを見て、笑顔《えがお》でそれに応える。

「アッ、こんニちは」

にの部分に独特《どくとく》の発音がある挨拶《あいさつ》だった。ギャッピーは発音から、店員が異国《いこく》の人と気づく。ウッチャンと呼ばれた店員は中国《ちゅうごく》からの留学生《りゅうがくせい》で、常連客《じょうれんきゃく》のカナとは顔馴染《かおなじ》みだった。発音はまだ怪《あや》しいものの、店員としては問題なく活動している。これで勤《つと》めて二年目になった。

首を摑《つか》まれて大人しくしているカナがおかしいのか、笑顔《えがお》には営業用以外のものが混じる。

「さっきのやつはなに？　道でも聞いてたの？」

「イエ、昨日《きのう》の夜に喧嘩《けんか》がそこでナカッタ？　と聞かれまシた」

ウッチャンがゴミ袋を抱えながら、窮屈《きゅうくつ》そうに共同駐車場《きょうどうちゅうしゃじょう》を指差す。そこはカナが昨日、拳銃《けんじゅう》を拾った場所である。その駐車場と細い道路を挟《はさ》んで向かい側に立つ、五階建ての青い立体駐車場を見上げながら、カナが「喧嘩？」と疑問を表す。

「あった？　って聞かれテも、ぼくいなかったから知らないです」

「へー。やっぱお外怖いわー、出ない方がいいわー」

そうして話している間も、カナは拾った拳銃となにか関係あるのかなと考えていた。

その喧嘩騒《さわ》ぎで知らぬうちに拳銃を落とした、と考えるのもあり得る。とすれば、さっきの緑帽子《みどりぼうし》が拳銃の落とし主だろうか？　しかし喧嘩の当事者《とうじしゃ》なら、なかったかどうかは聞く必要《ひつよう》がない。では探《さが》すのを頼《たの》まれた？　だとしたら今のやつは探偵《たんてい》か、私《し》服警官《ふくけいかん》か。カナはそこまで勢いで推理《すいり》してから、まぁそれはないかとあっさり放棄《ほうき》した。

安直《あんちょく》に結びつけただけの答えなど、カナは信じない。それが正解であると気づくことなく。

「そんなわけないなーい」

「なに急に踊《おど》ってんの？」

「気にしない。お、アニメイト」

駐車場の奥の建物はアニメイトで、今も女子二人組が談笑《だんしょう》しながら出てきていた。カナも大学へ通っている頃《ころ》は漫画《まんが》を買いに利用していた。今はそうしたものをなにも求めようとしない。

「ほら、いいから行くよ」

放っておくといつまでも話し込むのを心配してか、ギャッピーがカナを引っ張る。カナは助けてーとウッチャンに手を伸ばしたが、愛想笑《あいそ》いで見送られるだけでそのまま仕事に戻られてしまった。カナはコンビニ店内を引っ張られながら、ギャッピーの顔を控《ひか》えめに窺《うかが》う。

「あのさぁギャッピー」

「なに？」

返事をしながら、さっさと履歴書《りれきしょ》を手に取る。カナは目を逸《そ》らしながら裏声《うらごえ》になる。

「さ、財布《さいふ》忘れちゃったよぅ」

「買ってあげる」

「え、ほんと？　じゃあアメリカンドッグをにほ……一本でいいです」

ピースマークの、中指の方を折《お》る。ギャッピーは額《ひたい》に手を当てて嘆息《たんそく》する。

「その図太《ずぶと》さがあれば、もっと忍耐《にんたい》強くていいと思うんだけど」

「いやはや、不思議《ふしぎ》だなぁ。あ、それとさ」

「今度はなに？」

「は、働《はたら》きたいって一言《ひとこと》も言ってないなぁ……なーんてってってってって」

ギャッピーの表情の移り変わりを見て取り、カナが途中《とちゅう》で主張《しゅちょう》を切り上げる。長い列の最後尾《さいこうび》に着こうとした足を止めて、ギャッピーがカナの首を手放す。カナが中腰《ちゅうごし》を止めて、猫背《ねこぜ》ながらも身体《からだ》を伸ばしたのを見計《みはか》らって、未開封《みかいふう》の履歴書を眼前《がんぜん》に突《つ》きつける。

「じゃあ履歴書書くか、大学にちゃんと行くか。選びなさい」

静かながらも剣幕《けんまく》はあり、列に並ぼうとしていた会社員が二人に振り向いた。カナはそうした視線《しせん》を気にしながらも、愛想笑いを浮かべる。が、今度は笑顔《えがお》でもごまかせないようだった。

「いや、もう大学は無理かなぁ。履修登録《りしゅうとうろく》もしてないし」

それもしていないのか、とギャッピーが目を剝《む》く。カナは慌《あわ》てて弁解《べんかい》した。

「その、大学はね、置いておいて。バイトはほら、やる気ないわけじゃないよ？　ほんとになかったらマンションのロビーんとこの柱《はしら》に抱きついてでも外に出ようとしないし」

「ほぉ」

ギャッピーの反応は酷《ひど》く冷たい。カナの言い訳《わけ》は続く。

「やる気がないわけじゃないんだけど、気づくとぼーっとして、首が傾《かたむ》いて、時間が経《た》っちゃってるんだなぁこれが。この間までは、春だから眠いのかなぁとか思ってたんだけど」

「へぇそうなんだ、大変ね」

今は六月だこの野郎《やろう》とギャッピーの目が語っていた。カナもそこで黙《だま》る。無言《むごん》で履歴書を受け取り、列にいそいそと並んだ。その横にギャッピーが並び、再《ふたた》び首根《くびね》っこを摑《つか》んだ。

カナはされるがままで溜息《ためいき》も吐《つ》くが、ギャッピーがすべて正しいと認めていた。

多少《たしょう》お節介《せっかい》が過ぎるものの、世話を焼いてくれる、心配してくれること自体には感謝《かんしゃ》していた。既《すで》に親にも見放されているカナにとって、強い人間関係はこの友人ぐらいしかない。

「色々ありがとうかーちゃん」

「ほんとにそんな気分よ」

十五分ほど並んで履歴書《りれきしょ》を購入《こうにゅう》する。カナは行列から逃げるように、すぐ外へ走った。

「あー終わった終わった。一仕事終えた感があるなぁ。さーかえろ」

「アホ、次は服を買いに行くの。その後はボサボサの髪《かみ》を切りに行く。で、即面接《そくめんせつ》」

次々に予定を立てるギャッピーに、カナが血相《けっそう》を変える。一睡《いっすい》もしていないことを訴《うった》えそうになったが、したところで特に容赦《ようしゃ》などしてくれないことをすぐに悟《さと》る。

「ギャッピー、仕事は？」

「行くわよ、あんたの面倒《めんどう》見てから。大体《だいたい》ね、そんなダボパジャマで外を歩いてること自体が恥《はじ》よ。大学行ってるときはもっとマシな格好《かっこう》してたのに」

「いやー、あの頃《ころ》は若かったんだよ」

ギャッピーがカナの頬《ほお》を摘《つま》む。すべすべした頬を弄《いじ》った後、表情を緩《ゆる》める。

「風呂《ふろ》にはちゃんと入ってるのが救いね」

「毎日三時間ぐらい浸《つ》かってるよ。お陰《かげ》で皮《かわ》がふちゃふちゃ」

ギャッピーはそうしてカナの横顔をしばらく弄《もてあそ》んでいたが、唐突《とうとつ》な変化にギョッとなる。

「なに泣いてんの？　そんなに嫌《いや》なの？」

カナが意外そうな顔つきでギャッピーを見る。指先で目もとを拭《ぬぐ》って、「あっ」と口を開いた。

「まただ。最近、ぼーっとするとすぐ涙《なみだ》が出るようになってさ」

「……おいおい」

「あと、昔《むかし》に買った花の図鑑《ずかん》を見てたら涙が止まんなくなって困った。絵なのに花粉症《かふんしょう》の気分を味わっちゃったよ」

カナが鼻の下も、鼻水が出ていないか確かめる。そちらは緩くなっていないようだった。

「こういうの、女子力高くない？」

「情緒《じょうちょ》不安定すぎて、こっちの胃《い》が痛い」

冗談《じょうだん》抜きに腹部《ふくぶ》を押さえるギャッピーを、カナは無表情に見つめる。

その間も生温《なまぬる》い風が吹き抜けて、涙に濡《ぬ》れた頬に冷たさを教える。

カナはそこで、勝手《かつて》に流れる涙は冷たいものしかないのだと、今更《いまさら》に気づいた。

緑川円子

そうだろうか、と緑川円子《みどりかわえんじ》は助手席《じょしゅせき》でふと気になっていた。自分の話し方である。意識《いしき》して増やしているわけではないのだが、『そう』が多いと指摘《してき》されたので振り返ってみる。

「……そう？」

自分が普段《ふだん》、なにを話しているかなどあまり記憶《きおく》になかった。よって、答えは出ない。

弟子《でし》の運転《うんてん》する軽トラは既《すで》に下山《げざん》して、市街地《しがいち》に入っている。今は長い渋滞《じゅうたい》に引っかかり、古臭《ふるくさ》い軽トラの振動《しんどう》で身体《からだ》が揺《ゆ》れていた。肉が薄《うす》いのか、緑川は少し座《すわ》っているだけで尻《しり》が痛くなってくる。弟子の方は余裕《よゆう》の笑《え》みを崩《くず》さないまま、景色や車のナンバーを眺《なが》めている。

軽トラがまったく似合《にあ》っていないやつだ。涼《すず》やかな顔つきを眺める度《たび》、緑川はそう思う。

その信号待《ま》ちから解放されるのとほぼ同時に電話が鳴り出す。緑川のものではない。弟子が脇《わき》に置いたプラスチックケースを一瞥《いちべつ》する。運転中なので出るのを躊躇《ちゅうちょ》しているのが見て取れた。緑川が言う。

「私が出ようか？」

今回は意識して『そう』以外の言葉《ことば》を使ってみた。弟子はその提案に対して、決めかねるように目を泳がせる。

「あーいや、どうしよう……いいや、出てくれますか。運転中だから、後でかけ直すって」

「分かった」

黒く薄いケースを開いて、青い電話を取り出す。銀色の猫《ねこ》のストラップがくっつき、揺れていた。電話をかけてきた相手は『雅《みやび》』と出ている。緑川は通話ボタンを押して、即《そく》、伝える。

「運転中だから後でかけ直す」

『あれ？　兄さん、そういう芸もできるようになったの？』

電話から聞こえてくるのは女性の声だった。その疑問を一切無視《いっさいむし》して、用件《ようけん》のみを伝えた緑川が電話を切る。そしてケースに電話を戻す。電話がまたかかってくることもないので、『よし』と内心《ないしん》で上手《うま》く伝えられたことを喜《よろこ》ぶ。

その一連の行動に目を丸くしていた弟子だったが、すぐに笑顔を取り戻した。

「さすが師匠《ししょう》だ」

こいつはなにを褒《ほ》めたたえているのだろう。手際《てぎわ》は良かったと自負《じふ》するが、そうして無意味に持ち上げられるほどのことではないと緑川は思っていた。そうした『ズレ』に一定の評価《ひょうか》を頂戴《ちょうだい》していることを、なにも理解できていない。

「妹がいるの？」

「え？　ええ。きっと大した用事はないと思いますよ」

微妙《びみょう》に受け答えがちぐはぐだった。緑川《みどりかわ》はそうした機微《きび》を察することなく、「そう」と締《し》めた。

それから車内は一切無《いっさいむ》言《ごん》となり、緑川は目を瞑《つむ》って着くのを待《ま》った。

一時間弱《じゃく》ほど経《た》って、駅前《えきまえ》のカルチャーセンターに到着《とうちゃく》する。交差点の横断歩道を渡ってすぐに建つビルで、元《もと》は進学塾《しんがくじゅく》を経営《けいえい》していた場所である。隣《となり》に建つ法律《ほうりつ》の専門学校よりずっと華奢《きゃしゃ》な作りで、背も低い。黒塗《くろぬ》りのビルの影に潰《つぶ》されそうな、灰色の建物《たてもの》に存在感《そんざいかん》はない。

「師匠《ししょう》、道具です」

車を駐車場《ちゅうしゃじょう》に停めてきた弟子《でし》が走って戻ってきて、講義用《こうぎよう》の道具を緑川に渡す。緑川が無《む》言《ごん》で受け取ったのを確認した後、弟子は電話を出して、距離《きょり》を取ってどこかにかけ始める。さっきのやつにかけるのだろうと放っておいて、緑川はビルを見上げる。今日も五月の調子《ちょうし》を引きずって日が高く、鼻先が焦《こ》げるような鋭《するど》い日差しが降り注《そそ》いでいる。早く屋内に入ろうと歩き出したところで、「先生」と声をかけられた。緑川が左側に振り向くと、和装《わそう》の女性が近寄ってきていた。緑川もその受講者《じゅこうしゃ》は覚えていた。

姫路《ひめじ》灯《ともり》という大学生で、なぜかいつも和装で出席《しゅっせき》する。少し面長《おもなが》ながら整った顔立ちと、間近で見ると気味《きみ》の悪いほど黒い髪《かみ》ということもあって、教室内では誰《だれ》よりもめだっていた。

「先生、前回とお召《め》し物が一緒《いっしょ》ですね」

「えっ、そう？」

指摘《してき》されて、緑川が服の襟《えり》を摘《つま》んで引っ張る。

「はい。同じ服を何着もお持ちなんですね」

姫路が嬉《うれ》しそうに言いきる。皮肉《ひにく》かと最初は考えたが、目を見る限り本気のようだった。

緑川は反応に困り、弟子に助け船を求める。だが弟子はいつの間にか周辺《しゅうへん》から姿を消していた。気配《けはい》のない男で、肝心《かんじん》なときにはいつも消えている印象《いんしょう》がある。

助手《じょしゅ》を必要《ひつよう》とする講義でもないので、まぁいいかと気にせず教室に向かった。陶芸《とうげい》教室に割り当てられているのは2Fの奥で、中は塾だった時代の名残《なごり》がある。机《つくえ》や教壇《きょうだん》、ボードも流用していて、外から眺《なが》める度《たび》に緑川は学生時代を思い返す。

姫路と一緒《いっしょ》に教室へ入ると、既《すで》に受講者が談笑《だんしょう》して室内は賑《にぎ》わっていた。学校の授業というわけでもないので、講師である緑川が現れたところでそれが静まるわけでもない。元々《もともと》、参加している主婦《しゅふ》連《れん》はその雑談を主軸《しゅじく》にしているような層《そう》である。講師に向いていないと自覚《じかく》する緑川としては本気で取り組み、本格的な陶芸の成果を期待されないだけ気が楽《らく》だった。

姫路は一番前の席に座って腕《うで》まくりする。それは見なかったことにしながら、用意されている申《もう》し訳程度《わけていど》の教卓《きょうたく》に道具を置いて、講義の準備を始める。

受講者たちのことはほとんど注目《ちゅうもく》せず、視界《しかい》にも入っていない。

仮《かり》に見たとしても、同じ服を着てきたことにも指摘《してき》されるまで気づかなかった緑川である。

教室の後ろに新顔《しんがお》が一人追加《ついか》されていても、まったく意識《いしき》することはなかった。

「それってパーマかけてるの？　ふわふわだけど」

「んーこれ元《もと》から」

「いいなぁ」

美鈴が髪《かみ》を摘《つま》みながら、満更《まんざら》でもない顔になる。その後、ゴム手袋をしていることを思い出し、慌《あわ》てて離《はな》した。美鈴の中ではトイレにあるものは大体汚《だいたいきたな》いという認識《にんしき》なのだ。それが掃除の道具だろうと、手袋だろうと変わらない。そんなもので髪を触ってしまうのは不快《ふかい》だった。

「あ、そろそろ来るよ」

美鈴が思い出したように言って、廊下を覗《のぞ》く。「来たよ」とすぐ首を引っこめた。

担任《たんにん》の教師が教室から出てきて、見回りにやってくる時間だった。それを察して女子二人がトイレの中へ走る。美鈴は腰《こし》を入れて、力強く磨《みが》き出す。周りを泡《あわ》だらけにしたまま放っておいたのはまじめにやっている最中《さいちゅう》と見せかけるためだった。

「楽しそうな声が教室まで届いていたが、ちゃんとやってるか？」

担任《たんにん》が美鈴を一瞥《いちべつ》して、とってつけたような掃除に嫌《いや》みをこぼす。美鈴は笑顔《えがお》で動じない。

「やってますよー。ねぇ？」

美鈴がトイレの中を覗いて班員《はんいん》に同意を求める。「ねー」と黄色い声が二つ返ってきた。担任はいつものことなので慣《な》れたように溜息《ためいき》を吐《つ》きつつ、教室の方へ戻っていく。

十分《じゅうぶん》に離《はな》れたのを確かめた後、女子三人で集合して雑談《ざつだん》を再開する。

「先生、奥さんとけんかしたのかな？」

「んー。ドジだから、転んで顔打ったんじゃない？」

「あ、それっぽい」

朝から右の頬《ほお》を腫《は》らしている『先生』を面白《おもしろ》おかしく噂《うわさ》しながら、美鈴《みすず》も笑う。ただ担任《たんにん》の篠崎達郎《しのざきたつろう》は生徒たちに不人気ということもない。手先が器用《きよう》な上にいい加減《かげん》な性格が威厳《いげん》を良い意味でなくしているらしく、親しみを感じやすい人柄《ひとがら》となっていた。

「早く終わるからさー、どっか行く？　駅《えき》の方に遊びに行こうか？」

「今日は家で用事あるの。やだよねー、せっかく早く終わるのに」

美鈴が誘《さそ》いをやんわりと断る。他にもっと大事なことがあるのだ。

笑顔《えがお》のまま話題から逃げるように首を巡《めぐ》らす。そこで目に止まったものがあり、美鈴の顔つきが変わる。

廊下《ろうか》の窓《まど》をぞうきんで拭《ふ》くその後ろ姿を、美鈴がジト目で睨《にら》む。

左右で纏《まと》めている髪《かみ》が後ろ姿でもめだつ小泉菜々実《こいずみななみ》。別段《べつだん》、美鈴と仲《なか》が悪いわけではない。むしろ、ほとんど話すこともない。接点はないのだ。許せないのは姉だけである。

しかもその姉に関しても、本人は美鈴のことなどまったく意識していないはずなのだ。顔と名前が一致《いっち》することもない、すれ違《ちが》ったところで『小学生だな』ぐらいしか思わない。

しかし人間、知らないところで恨《うら》みを買うこともある。

その恨みと無邪気《むじゃき》さが合わさることで、悲劇《ひげき》を招《まね》くこともある。
両方を兼《か》ね備えた時本《ときもと》美鈴が今日、行動に移ることをまだ誰《だれ》も知らない。

首藤祐貴

小泉明日香《こいずみあすか》は首藤祐貴《しゅとうゆうき》と同じ団地に住む女の子だった。どちらも物心《ものごころ》着いた頃《ころ》から顔見知りで、他に遊ぶ相手がいなかったこともあって仲《なか》が良くなるのも自然だった。保育園《ほいくえん》も一緒《いっしょ》で、手を繋《つな》いで通うときもあった。祐貴はそれを思い出す度《たび》、気恥《きは》ずかしくて鼻を掻《か》かずにはいられない。同時に深く苦い、失望《しつぼう》のようなものも芽生《めば》えて胸《むね》を掻きむしりたくなる。

小泉明日香は内向的《ないこうてき》で、気を許した相手にしか口数の多くならない少女だった。祐貴とも最初はあまりうち解《と》けず、一緒にいても一歩引いた位置を歩く子供だった。意思も希薄《きはく》で、苛《いら》つくことがなかったと言えば嘘《うそ》になる。それでも祐貴が邪険《じゃけん》に扱わなかった理由は、小泉明日香は他の子供よりずっとかわいく見えたからである。また同時に、祐貴は少なくとも小学校の間までは、小泉明日香に距離《きょり》を感じることがなかったのも大きかった。他の友人が次々に才能《さいのう》を嫌《いや》みなくひけらかす中、小泉明日香だけは『特別』を発揮《はっき》することはなかった。祐貴はそれをなにより嬉《うれ》しく思っていた。

その特別を意識《いしき》することになるのは、中学校に入ってからだ。

同じ中学校に通いながら、徐々《じょじょ》に、少しずつ祐貴との距離は開いていった。それは祐貴と小泉明日香の間に立場の差があったからに他ならない。祐貴の奇縁《きえん》に例外はなく、小泉明日香もまた、才能に満ち溢《あふ》れていた。祐貴はそれに最初に気づきながらも理解していなかった。

小泉明日香はそもそも、その容姿《ようし》こそが才能だったのだ。

中学生となって異性《いせい》に意識を強く持つようになったことで、周囲《しゅうい》がその才能を理解する。

そうなっては、小泉明日香が祭り上げられるのも当然の流れだった。

しかしそれに祐貴が気づいたところで、覆《くつがえ》せないものは絶対的に存在《そんざい》する。人と人の出会いは瞬間《しゅんかん》であり、絆《きずな》とは積み重ねた時間ですべてが決まるものではない。精神の成長と共《とも》に人の視野《しや》は広がり、見えなかったもの、受け入れなかったものを受け止める力が身につく。

自分の言葉《ことば》を持とうとしなかった小泉明日香も次第《しだい》に顔を上げて、周囲を見渡すようになる。

そこから少しずつなにかを学んだ彼女は、祐貴以外の背中にも目を向けて、応えようとする。

彼女が一度、自分から口を開くようになれば後は雪崩《なだれ》のように、押し寄せるものがあった。

相応《そうおう》の才能には、相応の相手が集《つど》う。その中に割り込めるほどの力は祐貴になかった。幼《おさな》じみとか、昔《むかし》はよく遊んだとか。そうしたものは思い出となり、その上、それがとても大事であるのは祐貴の側だけなのだ。小泉明日香の心境《しんきょう》も同様《どうよう》のものであるはずがない。自分との過去《かこ》がどれほどの価値《かち》にあるのか、それを窺《うかが》い知る術《すべ》はない。

祐貴に戦《たたか》うための武器はなかった。ただ見ることしかできず、その視線《しせん》に小泉明日香が気づいているかも定かでないまま、自分への失望や喪失感《そうしつかん》だけが募《つの》る。不思議《ふしぎ》な縁《えん》だけはあるのか志望《しぼう》した高校まで偶然一緒《ぐうぜんいっしょ》で、何年も、祐貴《ゆうき》と小泉明日香《こいずみあすか》の物理的な距離《きょり》は変わらない。

だがそれは祐貴のもっとも望まない、彼女との関係の形だった。

いっそすべて離《はな》れて消えてしまえば、と思わざるを得ない。

そしてその小泉明日香は現在《げんざい》、祐貴のもっとも嫌《きら》いな男の彼女となっている。

花咲太郎

コンビニから離れた後、太郎《たろう》は名古屋駅《なごやえき》に戻っていた。そして構内にあるマーメイドカフェという喫茶店《きっさてん》でコーヒーを啜《すす》っている。ついでに店内で販売《はんばい》しているベーグルも齧《かじ》って昼飯代《ひるめしが》わりとしている。側にあるきしめん屋と迷《まよ》ったが、客が表《おもて》まで並んでいたので素通《すどお》りした。

カフェ内は空席《くうせき》のない状況《じょうきょう》だった。階段で上がった先もいっぱいのようで、誰《だれ》かが下りてくる度《たび》に新しい客が入れ違《ちが》いに上がっていく。太郎が座《すわ》るのは構内に面した一人用の椅子《いす》で、目の前がガラス張りなので人の行き来を眺《なが》めることができる。大勢の人間が行き交《か》い、急ぐ一方でこうして一息《ひといき》吐いているのは、説明しがたい感覚《かんかく》ではあるが安心感のようなものをもたらす。

ベーグルを食べ終えた後にジュラルミンケースを開いて、携帯《けいたい》電話を取り出す。太郎の隣《となり》に一人で座る女子高生も高速の指遣《ゆびづか》いでタッチパネルを操作《そうさ》している。そして時々、耐《た》えきれなくなったように画面に噴《ふ》き出しては周囲《しゅうい》を気にするように頭を振っている。暖色系《だんしょくけい》で派手《はで》な髪《かみ》だが、全体的にもっさりと茂《しげ》っていて野暮《やぼ》ったい。頭が綿飴《わたあめ》のように膨《ふく》らんで見える。左側に纏《まと》めて結《むす》んで下ろしているその髪型《かみがた》も、地味《じみ》を重ね着するようだった。めだつはずの大きい目もボリュームのある前髪《まえがみ》に邪魔《じゃま》されて、なんの魅力《みりょく》も発揮《はっき》していない。もっとも、仮《かり》にその女子高生が髪《かみ》を整えて魅力的になったとしても、太郎《たろう》からすれば無価値《むかち》に等しいのだが。

太郎も女子高生を真似《まね》して迅速《じんそく》な指捌《さば》きでアドレス帳《ちょう》から電話先を選ぼうと試《こころ》みたが、ものの見事に失敗した。反省して、慎重《しんちょう》に『所長』を選ぶ。

探偵《たんてい》事務所の所長に、今回の仕事について簡単《かんたん》に説明しておく必要《ひつよう》があった。朝一番に依頼《いらい》されてそのまま動きっぱなしだったので、話を通しておく暇《ひま》がなかったのだ。所長は所員の請《う》け負《お》う仕事については自主性《じしゅせい》に任《まか》せるという名の放任気味《ほうにんぎみ》なので、太郎も助かっている。

出るか不安だったが、すぐに電話が繋《つな》がった。客の声で騒々《そうぞう》しいので、声を大きくする。

「あ、もしもし。どうも、花咲《はなさき》です……はい、実は朝イチに仕事が来て……ええ、書類を置いておいた件《けん》です。しばらくこっちにかかりきりだと思います……はい、分かりました」

電話を切る。説明は簡単《かんたん》で、了解《りょうかい》もあっという間だ。職場《しょくば》の在《あ》り方に多少の不安は持つものの、意外なことに市井《しせい》からの依頼《いらい》は多い。その内容は家出少年の捜索《そうさく》から近所のドブ掃除《そうじ》まで なんでもござれである。節操《せっそう》なく仕事を請けていたら、探偵という職業《しょくぎょう》の境界《きょうかい》は曖昧《あいまい》となっていた。太郎としてはそちらの方が平和で性《しょう》にあうので、率先《そっせん》して請けるようにしていた。

本心《ほんしん》から平穏《へいおん》を願うにもかかわらず、太郎はある事情を抱えていることで、運命的《うんめいてき》に『殺人《さつじん》事件《じけん》』と鉢合《はちあ》わせる。それならばせめて、普段《ふだん》はそういうものと無縁《むえん》でいたい。

そしてその色々があって増えた、『厄介《やっかい》な知り合い』の一人からメールが届く。太郎が露骨《ろこつ》に嫌《いや》な顔をして開封《かいふう》してみると、蜂《はち》の巣《す》がアップで映っていた。

『これでかくね？』

「大きいね」

即《そく》、消去《しょうきょ》した。電話をしまってから、コーヒーを一気《いっき》に啜《すす》る。

カップを持ってストローをくわえたまま、なんの気なく店内を見渡す。上から並んで下りてくる二人組を一瞥《いちべつ》して、そこで「あれっ」と太郎が背筋《せすじ》を伸ばす。騒々《そうぞう》しい店内ではあるがその声に相手も反応した。階段を下りながら、太郎の方をジッと見つめる。

その青年は最初、目の焦点《しょうてん》があっていない様子《ようす》だったが、すぐに太郎のことを思い出したのか目つきが変わる。その目は光沢《こうたく》を失って、見つめ合うと夜の湖畔《こはん》に浮かぶような不安を煽《あお》る。しかし独特の静けさと落ち着きも伴《ともな》うそれは、迷惑《めいわく》なことに人を引きつけるものがあった。

「あれ。きみ、なんて言ったかな。なんかだったよな」

トレイを持って立ち上がった太郎が、青年の顔を覗《のぞ》きこむ。青年は「なんかですね」と曖昧《あいまい》な反応だ。連れ添っている女の子の方は無愛想《ぶあいそう》な面構《つらがま》えを維持《いじ》している。癖《くせ》の強い髪の毛《け》と気の強そうな鋭《するど》い顔つきと裏腹《うらはら》に、青年の影《かげ》に大人しく隠《かく》れている。買い物帰りなのか、紙袋をその両腕《うで》にぶら下げていた。

「前にホテルで会ったと思うんだけど」

口を開かないと性別《せいべつ》の判別しづらい、中性的《ちゅうせいてき》な青年の表情が少し柔《やわ》らかくなる。

「あぁ、やっぱり。あのときはお世話になりました」

「いやいや」

青年と太郎《たろう》が会話する後ろで、話題についていけない女の子が膨《ふく》れている。太郎の方は会話しながらも細かく女の子を観察して、それに気づいていた。そして同時に失望も味わう。

太郎は以前に仕事の関係で向かったホテルの受付で、この青年に頼《たの》まれて名前の欄《らん》を代わりに書いたことがある。その意味は分からないが、そのときの青年は酷《ひど》く困っていたようなので戸惑《とまど》いながらも代筆《だいひつ》を請《う》けた。

縁《えん》としてはその程度《ていど》だが、お互《たが》い、それなりに印象《いんしょう》はあったようである。

「あ、用はないんだ。ただ少し懐《なつ》かしくてね」

会話が途切《とぎ》れたところで、太郎が別に行っていいよと促《うなが》す。青年もそうした空気をすぐに察して、「それじゃあ、また」と頭を下げて離《はな》れていく。距離《きょり》を取ると、女の子は青年の左腕《うで》を摑《つか》んでなにか問《と》いただし始めた。自分について聞いているのだろう。太郎はそう解釈《かいしゃく》した。

二人がカフェからいなくなったのを確認《かくにん》してから、太郎が露骨《ろこつ》に肩を落とす。

「ガッカリだ」

青年に連れ添《そ》う女の子に興味《きょうみ》を持って声をかけたというのが太郎の本音《ほんね》だった。だが、女の子は間近《まぢか》で観察してみると、幼《おさな》い容貌《ようぼう》ではあるものの十六、七歳《さい》あたりだと太郎の目は判断したのだ。そんな年齢《ねんれい》の女に太郎の興味はない。勝手に期待して裏切《うらぎ》られて、物寂《ものさび》しくなっていた。そう、花咲《はなさき》太郎の唾棄《だき》されるべき性癖《せいへき》とは、すなわち『コレ』であった。

トレイを片づけてから、カフェを出た。右側を向くと、青年と女はタカシマヤに入っていくところだった。まだ買い物を続けるつもりだろうか。青年の不幸に同情しつつ、太郎は反対へ行く。

次になにを調べるかはコーヒーを飲んでいる間に決めていた。篠崎達郎《しのざきたつろう》が昨晩《さくばん》、立ち寄った店を訪ねてみるつもりだった。拳銃《けんじゅう》の行方についてまったく情報《じょうほう》がない以上は、まず篠崎達郎の行動をはっきりとさせる。本人に聞いてもいつから酔《よ》っぱらっていたのか、実に曖昧《あいまい》な受け答えしか返ってこない。その口ごもり方には別の後ろめたさも見て取れて、それなら自分で調べた方が正確だと太郎は結論づけていた。呑《の》んでいた居酒屋《いざかや》の名前ぐらいは聞き出してある。

昼間から営業はしていないだろうが、仕込みのために出てきているかもしれない。

そしてそれが済《す》んだら、今度は例の駐車場《ちゅうしゃじょう》を見張る。なにかがあるまで、なにかを見つけるまで、ひたすら動かず見張り続ける。何時間でも、何日かけても。太郎は捜索《そうさく》の際《さい》、大抵《たいてい》はそうしてきっかけを摑む。現実は引っ込み思案《じあん》で、情報《じょうほう》にも溢《あふ》れていない。

人はなにかを隠《かく》したがる生き物なのだ。

だから推理《すいり》の入りこむ余地《よち》などなく、あるのは土にまみれてそれを掘《ほ》り返すような作業だけ。探偵《たんてい》にもっとも必要《ひつよう》な資質《ししつ》は忍耐力《にんたいりょく》。それが太郎の持論《じろん》だった。

黒田雪路

黒田《くろだ》に殺し屋としての信念《しんねん》は取り立ててない。感性もごく一般的《いっぱんてき》で、大体《だいたい》の人が笑う話にはちゃんと笑うし、大多数の人が憤《いきどお》る事件《じけん》を聞けば怒《いか》りを露《あら》わにする。常識《じょうしき》と足並みを揃《そろ》えた青年であり、依頼《いらい》する者を『この人は本当に人殺しなのか？』と不安に陥《おちい》らせる。

しかしそんな普通の黒田だが、人を殺せる。そこに抵抗感《ていこうかん》は皆無《かいむ》だ。殺人に伴《ともな》う様々《さまざま》な変化に一切《いっさい》、なにも感じないわけではない。血飛沫《ちしぶき》が飛び出れば気分が悪くなるし、それが服にかかれば嫌《いや》がりもする。はみ出る内臓《ないぞう》を見れば気持ち悪いと感じるし、死に顔も見ようとしない。

だが、人を殺すことにまったく、ためらいがない。黒田は人間として破綻《はたん》していないが、踏《ふ》み留《とど》まるためのなにかが一つだけ欠けていた。倫理《りんり》と理性以外の、同族殺しによって本能《ほんのう》に訴《うった》えるものがないのだ。黒田はそれを自覚《じかく》していて、自分が種の保存に不適切《ふてきせつ》な、構築《こうちく》された社会から弾《はじ》き出されたものだと思っている。それ故《ゆえ》、女にモテないのだろうと推測《すいそく》していた。

黒田の遺伝子《いでんし》は、未来へ残りたがっていない。

緑川円子《みどりかわえんじ》の下絵付けの講義《こうぎ》に紛《まぎ》れこみながら、黒田は頬杖《ほおづえ》を突《つ》いてぼんやりしていた。多《た》少乱暴《しょうらんぼう》な手を使って忍《しの》びこんだにもかかわらず、なにかの成果を上げる気は見て取れない。

今のようなことを考えていたり、自分が学習塾《がくしゅうじゅく》に通っていた時代を思い出したりと、有《あ》り体《てい》に言えば退屈《たいくつ》だったのだ。黒田としては是非《ぜひ》一度、ろくろを回して粘土《ねんど》をこねてみたかったのだがそれは前回で終わっているようだった。焼き上がる前の器《うつわ》の模様《もよう》を描《えが》く方法を、饒舌《じょうぜつ》とは言い難《がた》い緑川が実践《じっせん》しながら淡々《たんたん》と教えている。参加している主婦《しゅふ》の集《つど》いや老人たちは、多少のお喋《しゃべ》りを交《まじ》えながらも比較的《ひかくてき》まじめに学ぼうとしている。飛び入りの黒田は誰《だれ》とも話すことができず、むしろ不審《ふしん》の目を向けられるので肩身《かたみ》が狭《せま》い。意識《いしき》していないのは講師《こうし》の緑川ぐらいだった。その緑川をじぃっと眺《なが》めて、黒田は思う。早乙女《さおとめ》みもりよりは好《この》みだなぁと。

緑川円子は女性を強く強調《きょうちょう》していない。陶器《とうき》だけでなく自身《じしん》も整えてしまっているように、その身体《からだ》は控《ひか》えめながら統一感《とういつかん》がある。黒田にとってはそうした部分に美しさを感じる。

その講師よりめだつ、和服《わふく》の受講者《じゅこうしゃ》は嫌《いや》でも黒田の目に入る。最後尾《さいこうび》の席《せき》から全体を見渡して、もっとも熱心さが表れているのはその女だった。同時に美人としても筆頭《ひっとう》だ。だが黒田としてはその和服に魅力《みりょく》を感じない。黒田は好《す》きな格好《かっこう》もなにも、裸《はだか》の方が好《この》ましかった。

「……はい。こんな風《ふう》に自分でやってみて。分からないことがあったら聞いて」

見本は終わりのようで、緑川が実践を受講者に促《うなが》す。先程《さきほど》から一度として丁寧語《ていねいご》を使おうとしない緑川のぶっきらぼうな態度に、黒田は『職人《しょくにん》』を感じる。偏屈《へんくつ》じゃないとこういう仕事には就《つ》けないんだなぁと、ますます誤解《ごかい》を深める。講師の説明が終わったからか、教室内のざわめきは一層《いっそう》強まり、騒々《そうぞう》しくなっていった。

緑川《みどりかわ》が教卓《きょうたく》から離《はな》れて、受講者《じゅこうしゃ》の前を回り出す。机《つくえ》の間を抜けて、ゆっくりと歩いているだけで受講者の手際《てぎわ》やらをほとんど確認《かくにん》していない。聞かれると答えるが、自分から率先《そっせん》してはなにも教えようとしない。その緑川が、黒田《くろだ》の方へと真《ま》っ直《す》ぐ近づいてくる。

せっかく買ったにもかかわらず、今の黒田は仕事道具である拳銃《けんじゅう》を携帯《けいたい》していない。元《もと》からこんな場所で殺す気がないとはいえ、標的《ひょうてき》が自分から暢気《のんき》な顔で近寄ってくるのは稀《まれ》である。その無防備《むぼうび》さを、どこか面白《おもしろ》く感じていた。緑川円子《えんじ》は、自分が二日、或《ある》いは三日後に、目の前の男に殺されるのだと一瞬《いっしゅん》でも想像するだろうか。そもそも自分が死ぬことを考えて生きているような人間なのだろうか。

殺すやつと、殺されるやつ。他人事《ひとごと》とは言いがたい関係なのだ。黒田としては気になるのも自然だと考えていた。

そうした強い視線《しせん》を感じてか、遠くを見ていた緑川の目が黒田に向く。黒田は思わず頬杖《ほおづえ》を外《はず》して、姿勢を正した。居眠《いねむ》りを注意《ちゅうい》される学生に戻ったようで、少し新鮮《しんせん》だった。

緑川は興味《きょうみ》を失ったように顔を逸《そ》らしたが、気になる点があったのかすぐに振り向く。黒田の使う机の上を凝視《ぎょうし》した。そこで黒田が、なにに注目《ちゅうもく》されているかを悟《さと》る。

黒田の机には他の受講者とは違《ちが》い、器《うつわ》がない。人数分しか教材用の器が配られなかったし、申告《しんこく》するわけにもいかなかったのでそのまま大人しくしていた。黒田はこの講義に料金を払《はら》って参加しているわけではないし、道具などなにも持っていないのだから、どちらにしても手の施《ほどこ》しようがないのだ。

緑川もそこでようやく、黒田という教室の異物《いぶつ》に気づいたらしい。立ち止まって、責《せ》めるような目を向ける。黒田は目を逸らすついでに横目《よこめ》で窓《まど》を見やり、そこから颯爽《さつそう》と飛び降りる自分を想像する。頭の中まで逃避《とうひ》気味《ぎみ》だ。そしてイメージの中でも、自分が華麗《かれい》に着地《ちやくち》する姿は見ることが叶《かな》わない。砕《くだ》けたガラス片にまみれながら、地面で顔の左側を打って激しくもんどり打つ姿を鳥瞰《ちようかん》するだけだった。

緑川が不審《ふしん》に立ち止まったことで、他の受講者まで一斉《いつせい》に黒田に注目する。目を逸らせる方向が背後《はいご》、壁《かべ》にしかなくなる。そこまで来れば黒田も諦《あきら》めて、跳《は》ね飛んだ。派手《はで》に飛び上がり、全員が呆気《あつけ》に取られている間に走って教室から逃げ出す。廊下《ろうか》を走っている最中《さいちゆう》、中年女性の悲鳴が教室内から聞こえてきたので、黒田は変質者《へんしつしや》とでも思われたのかもしれない。

窓からは飛び降りられなかったが、階段は何段も飛ばして、跳ねるように駆《か》け下りる。職業《しよくぎよう》柄《がら》、現場から逃げる際《さい》の思い切りは良い方だ。ビルから飛び出して、歩道の中心で立ち止まる。

そこで黒田がビルの３Ｆを見上げると、緑川が窓の縁《ふち》に足をかけていた。目があう。歩道へと飛び降りるか迷《まよ》ったが結局は止めたらしい。その足を引っこめてから、窓の外に頭だけ出す。その際、頭の一部が落下防止用の枠《わく》に引っかかって、結んでいたタオルが解けた。タオルが宙《ちゆう》を舞《ま》って、黒田のもとへと落ちてくる。

地面に落ちる前に手を伸ばして摑《つか》み取ってから、黒田《くろだ》が尋《たず》ねた。

「返しに行こうか？」

タオルを掲《かか》げる。タオルは緑川《みどりかわ》の汗《あせ》が染み込んでいるのか、少し生暖《なまあたた》かく蒸《む》れていた。

「別にいい」

「あ、そう」

黒田がタオルを握《にぎ》ったまま言うと、そこで緑川の顔が少し歪《ゆが》んだ。

「それよりなにか用でもあった？」

妙《みょう》に間の抜けた質問《しつもん》だった。やり取りに気づいたのか、他の窓《まど》から狭《せま》そうにいくつも中年の頭が出てきて、黒田としては玩具《おもちゃ》のハンマーでばこばこと叩《たた》いて引っこめたいところだった。そんな様子《ようす》を想像《そうぞう》しつつも、緑川と見つめ合う。黒田は少し悩んだ末《すえ》、格好悪《かっこうわる》い自分を慰《なぐさ》めるように気取った。

「あなたの顔を見てみたかった」

「は？」

嘘《うそ》は言っていないぞ、と黒田が内心《ないしん》で笑う。そして次は完全《かんぜん》な嘘だった。

「あなたを見ているだけで、俺は美しさが分かった気になるんだ」

歯の浮くような寝言《ねごと》を笑顔《えがお》でのたまう黒田に対し、緑川の表情は変化がない。目前の男の奥底《おくそこ》にあるものを見抜くように、冷たくすらあった。

「そう」

返事も淡泊《たんぱく》なものだった。そしてさっさと首を引っこめてしまう。窓《まど》まで閉められた。

そのつれない態度《たいど》を、「いいね」と黒田《くろだ》が素直《すなお》に評価《ひょうか》する。

その後も少しの間、道の真《ま》ん中に突《つ》っ立ってマヌケに見上げていたが、緑川《みどりかわ》は出てこない。しかし受講者《じゅこうしゃ》たちはまだ見下ろしている。和服《わふく》の女も出てきているが、一人だけ注目《ちゅうもく》の質《しつ》が異《こと》なっているように感じられた。その視線《しせん》にいつまでも晒《さら》されて、警備員《けいびいん》が飛んでくる前に、黒田もそこから距離《きょり》を取ることにした。横断歩道を斜《なな》めに渡り、立体駐車場《りったいちゅうしゃじょう》の中に逃げこむ。

2Fの隅《すみ》、薄暗《うすくら》がりに潜《ひそ》みながら、落ち着いた黒田は実に自然にタオルを使って汗《あせ》を拭《ふ》き、ついでにその匂《にお》いを嗅《か》いでいた。

「うん、美術室みたいな匂いがする」

土と絵の具の香《かお》りが、乾《かわ》きながらも染みついている。それが緑川円子《えんじ》の化粧《けしょう》なのだろうと、黒田はより好感《こうかん》を持った。タオルを緑川のように頭に結《むす》んでから、「こりゃあまずい」と顎《あご》に手をやる。始末《しまつ》する相手《あいて》を気に入っては仕事がしづらくなるのではないか、と考えたのだ。

しかし逆に嫌《きら》いなやつだったら殺しがいというものを感じただろうかと、過去《かこ》を振り返ってみる。出した答えに黒田が首を振った。左右に、ゆっくりと。

「そうでもねぇなぁ」

人殺しは悪いことに決まっているので、生きがいとかそういった充実感《じゅうじつかん》は縁遠《えんどお》い。そうしたものがゼロだからこそ、黒田は興味《きょうみ》を働《はたら》かせて補塡《ほてん》しようとする。仕事と依頼者《いらいにん》を深く知ることで、理解した気になって、満足したフリをする。黒田は普通だからこそ、苦悩《くのう》が多い。

あそこまで警戒《けいかい》されては、講義《こうぎ》が終わった後につけ回して行動を把握《はあく》するのも難《むずか》しくなった。よってこの後の黒田が打てる行動としては、緑川円子について別の方面から調べることぐらいだった。緑川の素性《すじょう》や家についての調査《ちょうさ》もあるが、それと同時にもう一枚、渡された写真の方にも興味があった。その壺《つぼ》の写真を指に挟《はさ》んで、専門家《せんもんか》を紹介《しょうかい》してもらうべく黒田は意気《いき》揚々《ようよう》と歩き出した。そうした下世話《げせわ》な行動力がある自分の天職《てんしょく》は殺し屋ではなくフリーライターあたりではないかと、黒田は時々思う。

岩谷カナ

「誰《だれ》かにお金持ってきてもらえばいいんじゃないですか？」

質問《しつもん》に対するカナの答えはごく普通で、誰にでも思いつきそうなものだったが尋《たず》ねた相手《あいて》は感心したように声が弾《はず》む。「それがいい、そうしよう」と、女性は嬉々《きき》として電話を耳に添《そ》えた。

ことは少し前に遡《さかのぼ》る。

ギャッピーに連れられてタカシマヤで服を買わされて、着替えさせられて、格好《かっこう》だけは見違《みちが》えたカナが次に向かわされたのは美容院だった。自分で切れるというカナの主張《しゅちょう》を無視《むし》してギャッピーが選んだ店は、駅前《えきまえ》から少し離《はな》れた先にある、交差点の角《かど》の店だった。床屋《とこや》と並んで営業している白い建物で、入り口が自動ドアではなく洋風《ようふう》の扉《とびら》だった。カナは表《おもて》の料金表を見て、美容院はどうしてこんなに高いのだろうと子供のときに不思議《ふしぎ》がったことを思い出していた。

中に入ると、犬《いぬ》の鳴き声がまず出迎えた。レジの奥から茶色い子犬《こいぬ》が駆《か》けてきて、カナに向けて鳴く。ばたばたと激しく、踊《おど》るように動く。窮屈《きゅうくつ》な服を着させられて落ちこんでいたカナも、意外な歓迎《かんげい》に目を光らせる。屈《かが》んで伸ばすとすぐ、子犬がカナの腕《うで》に上ってきた。

「いぬのおまわりさんならぬ、いぬのびようしさんか」

抱き上げた子犬はカナの鼻を舐《な》めようと顔を近づけてくる。カナはされるがままだったが、鼻の穴《あな》に舌《した》が入ったときはさすがに慌《あわ》てて身《み》を引いた。そうして離れたところで子犬は美容院の店長に、カナはギャッピーに摑《つか》まれる。カナは犬と同じレベルの扱《あつか》いに、「ま、そんなもんか」とあっさり受け入れた。犬よりは大人しく連れられて、椅子《いす》に座《すわ》らされる。

子犬は隣《となり》の床屋の方へと連れていかれた。美容院と一緒《いっしょ》に経営《けいえい》しているようだ。カナはカッティングクロスを巻かれながら、店長を見る。小麦色《こむぎいろ》の肌《はだ》に金髪《きんぱつ》ということもあり、『サーファーみたいだな』とありがちな感想を持った。その店長に「どうする?」と注文《ちゅうもん》を尋ねられて、カナが「んーと」と少し考えている間に「取り敢《あ》えず長さを揃《そろ》えて。ちょっと量が多すぎるから梳《す》いてください」とギャッピーがあれこれと指示してしまう。カナはなにか反論しようかと思ったが、言うことがないので「じゃあそれで」と乗っかる。

そうしたカナのこだわりのなさに、ギャッピーが苦《にが》い顔になる。不満や反抗《はんこう》という形でさえ気力を見せない友人を心配しているようだった。カナは長い髪を霧吹《きりふ》きで濡《ぬ》らされながら、鏡越《かがみご》しにその顔に気づくが応《こた》えるのが面倒《めんどう》で目を逸《そ》らす。

逸らした先で、隣の椅子に座ってパーマをかけている最中《さいちゅう》の女性と目があう。相手もカナよりはずっと年上に見えるが若い女性で、かすかに覗《のぞ》ける髪は金色だった。薄《うす》い唇《くちびる》に、頰《ほお》もすらりと細長い。ムダなものを省《はぶ》いた顔つきは凛々《りり》しく、しかし瑞々《みずみず》しさは十二分《じゅうにぶん》にあった。

「随分《ずいぶん》と切り甲斐《がい》のありそうな頭だね」

濡《ぬ》らして不揃《ふぞろ》いな長さを強調《きょうちょう》するカナの髪《かみ》を見て、女性が言う。カナは「えへはは」と愛想《あいそ》笑いでごまかす。自分で切ったときは綺麗《きれい》に揃えたと思っていたが、所詮《しょせん》は素人《しろうと》の仕事だった。それを見せつけられて無意識《むいしき》ではあるが拙《つたな》さを指摘《してき》までされて、笑うしかない。

「きみは高校生かな？　こんな時間に美容院通いなんて、お姉さん同伴《どうはん》でもいけないね」

「はぁ、すいません」

「そいつ大学生ですよ」

なにも否定《ひてい》しないカナを見かねてか、後方の待合《まちあい》の椅子《いす》に座《すわ》るギャッピーが口を挟《はさ》む。女性が目を丸くしながら、顔を上下させる。主《おも》にカナの顔と、胸部《きょうぶ》を確かめたようだ。

「しかも六年生」

「え、小学生？」

「いやいや大学生」

「おやおや。そうなると余計《よけい》に美容院に来ている場合じゃないね」

「まったく、ほんとそうなんですよ」

好《す》き放題《ほうだい》言われて、カナは身《み》を捩《ねじ》る。そうすると頭がぐりぐりと忙《せわ》しなく動くので店長が切りづらそうにしている。その落ち着きのなさはまさに子供そのもので、店長もさりげなく、保《ほ》護者《ごしゃ》の雰囲気《ふんいき》を持つギャッピーに視線《しせん》を送る。どうもこの店長は、カナとギャッピーが同い年であるとは考えもしていないようだ。そのギャッピーは電話を弄《いじ》って、顔を上げようとしない。

「ところで相談したいことがあるんだけど、聞いてくれるかい？」

観察も落ち着いた女性が、カナに話しかける。

「はい？　えぇ、聞くだけなら、いいかな」

こんなやつに相談するなんて、どれだけ見る目がないんだ。カナは自分でそう思う。

「うん。実はね、財布《さいふ》を忘れてしまった」

その告白《こくはく》にはカナよりも、店長の方が目を剥《む》いた。女性はあくまでにこやかを崩《くず》さない。

「途中《とちゅう》で気づいてね。どうしたらいいと思う？」

そう尋《たず》ねられて、カナの出した答えが冒頭《ぼうとう》のものだった。

それを気に入った女性が電話をかけ始めて、少しの間を置いて繋《つな》がる。だが女性がなにか言う前に、電話の向こうで喋《しゃべ》り出したらしい。しかも意外なことがあったのか、目が点になっていた。

「あれ？　兄さん、そういう芸《げい》もできるようになったの？」

電話した相手《あいて》は兄らしく、女性が気安い調子《ちょうし》に言う。だがすぐ、電話を耳から離《はな》した。

「切れた。ま、後でかけ直してくるだろう」

「んーと、なんかあれだったんですか？」

カナの尋《たず》ね方は抽象的《ちゅうしょうてき》だったが、女性が意を汲《く》んで返事をする。

「出たのが女声だった。いつからあんな声が出せるようになったのかな」

「それは別の女の人が電話に出ただけでは」

真《ま》っ当《とう》なギャッピーの一言《ひとこと》に、女性が「そういうのもあり得る」と頷《うなず》く。

そういうの以外あるのかな、とカナが首を捻《ひね》った。その動きに店長がまた渋《しぶ》い顔となる。

「あまり会わないから、どんな生活をしているのかよく知らないんだ」

そう語る女性はなぜか、妙《みょう》に楽しげに口もとを緩《ゆる》ませていた。

カナはその横顔を眺《なが》めていたが、口を開こうとはしない。今ここで会ったばかりの相手と特別、話すこともない。それからはお互《たが》いに無言《むごん》となり、そうした時間が続く中でカナはいつの間にか眠ってしまう。短い時間ではあるが夢《ゆめ》も見た。夢の内容は飛び飛びで曖昧《あいまい》ではあったが、舞台《ぶたい》は学校の教室で、中学校の同級生《どうきゅうせい》が多数《たすう》出演《しゅつえん》していた。高校の同級生も参加していて整合性《ごうせい》は取れていなかったが、大体《だいたい》が過去《かこ》に則《そく》していた。楽しかったことも、弾《はず》むような笑い声も。そこにあるものだった。

その夢から覚めた後もしばらくは、現実がそこと繋《つな》がっているような感覚に流される。

胸《むね》が弾み、呼吸《こきゅう》も安定しない。頭にいつもの靄《もや》がかかって、目が淀《よど》んでいた。

それらが落ち着いて次第《しだい》に意識がはっきりとしてくると、最後は虚脱感《きょだつかん》に襲《おそ》われた。

いっそのこと丸坊主《まるぼうず》にでもしてしまおうかと考えるほどの落ちこみ具合《ぐあい》だった。

へこんだカナの髪《かみ》を切り揃《そろ》えるのが終わった頃《ころ》、誰《だれ》かが店に入ってくる。振り向けないカナはそれが誰か直接見ることはできないが、正面の鏡《かがみ》にその来客《らいきやく》が映る。青色の背広を着た、金《きん》髪《ぱつ》の男性だった。ここまで走ってきたのか息《いき》は少しあがり、額《ひたい》に汗《あせ》も浮かんでいた。

「おーイケメン？　多分《たぶん》」

独《ひと》り言《ごと》の範囲《はんい》で感想を呟《つぶや》く。実際《じつさい》、鏡の景色の中央に立つ男性の横顔は整い、綺《き》麗《れい》なものだ。

「いやぁ助かったよ兄さん」

隣《となり》の女性が、顔も上げないでその男性に声をかける。兄さんと呼ばれた男は服《ふく》と息の乱《みだ》れを整えながら、渋《しぶ》い顔になる。妹は対照的《たいしようてき》に口が緩む。週刊誌《しゆうかんし》を閉じて棚《たな》に置いた。

どうやら、カナが眠っている間に電話で呼び出したようだ。

「軽率《けいそつ》なところはまるで成長しないな」

「そちらは頼りがいのあるところが変わっていないね、すばらしい」

飄々《ひようひよう》とした妹の態度《たいど》に、兄は腰《こし》に手を当てながら溜息《ためいき》を吐《つ》く。その顔つきだけでなく、髪の色までお揃《そろ》いだった。カナがぽけーっと口を開けて見上げていると、兄の方と目があった。

人当たりの良い笑顔《えがお》を浮かべられて、カナは萎縮《いしゆく》しながら小さく頭を下げた。

「妹が騒々《そうぞう》しくして済《す》まないね」

「はぁ、いえ、別に」

謝《あやま》るなら店長の方にするべきだと思ったが、カナはそこまで口にしない。唇《くちびる》が動くことを怠《なま》けるのだ。なにかを細かく嚙《か》むようにもごもごと動くその唇《くちびる》を、兄は興味深《きょうみぶか》そうに見つめる。

「兄さんに電話することを提案《ていあん》したのはその子なんだ」

「ほぅ。これが世話になったね」

「してませんが……」

「不肖《ふしょう》の妹の恩《おん》は私が返そう」

言って、兄が懐《ふところ》からケースを取り出す。名刺《めいし》入れだったらしく、一枚カナに差し出してきた。無視《むし》するわけにもいかず、カッティングクロスから手を出して受け取った。

その名刺には『新城雅貴』とあった。名字が『しんじょう』か『あらしろ』のどちらなのかカナが迷う。そこで目が止まっていると、新城雅貴がその名刺の意味を告《つ》げる。

「しんじょう、とよむ」

「あ、はい」

「もしなにか問題が起きたら相談《そうだん》してくれていい。この町では少し顔が利《き》くから」

名刺には電話番号も記載《きさい》されている。職業《しょくぎょう》や住所はない。カナが手を引っこめる。

その後も無言《むごん》を貫《つらぬ》くカナに、新城《しんじょう》が優《やさ》しく笑いかける。

「どうかしたかな?」

「はぁ。親切すぎて胡散臭《うさんくさ》いというか」

カナが率直に言うと、新城は「いやまったく」と頭を掻《か》く。自覚《じかく》はあったようだ。

「分からないかな？　体良《ていよ》くしただけのナンパだよ」

妹が補足《ほそく》説明する。茶々《ちゃちゃ》を入れられて、兄がムッと振り返った。

「今回は善意《ぜんい》だよ」

「またまたぁ。そんなものが兄さんにあるわけないじゃないか」

「なければまずお前を見捨てていると思うが」

「ごもっとも」

「おっと、戻らないと。一応仕事中なんだ、もう気軽に呼ぶなよ」

妹の代金を支払《しはら》ってから、新城が外へ飛び出していく。その姿を見送り、カナが言う。

「イケメンは忙《いそが》しいものなんだなぁ」

「意味分からんよ。あーいや、案外そうかもしれないね。需要《じゅよう》の問題で」

すぐに思い直して、妹もカナの意見に同意を示した。

それから洗髪《せんぱつ》を終えて、店長と嫁《よめ》の二人がかりで乾《かわ》かした髪《かみ》に一年近く使っていない整髪《せいはつ》料《りょう》を塗《ぬ》りつけられて、整えられる。そうして頭を弄《いじ》られていると据《す》わりが悪く、カナの身体《からだ》が左右に忙しなく揺《ゆ》れる。しかし今回は出てきた嫁にさりげなく身体を固定されて、されるがままだった。

あれこれと弄くり終えてから立ち上がったカナに、妹が別れの挨拶《あいさつ》の代わりとして忠告《ちゆうこく》する。

「さっきの話だけど、手に負《お》えない問題が降りかかったら兄に頼《たよ》っていいと思うよ。手前味噌《てまえみそ》になるけど、あの人は顔とコネと行動力が毛利《もうり》の三本矢《さんぼんや》の如《ごと》しだからね」

「問題、って言われても漠然《ばくぜん》としすぎてません？　なに系《けい》の問題を解決してくれるのかな」

「なんでもさ」

「はぁ」

「きみは気のない返事が多いな」

会ったばかりの他人にも無気力《むきりょく》を指摘《してき》される。ないけどさぁ、とカナがせっかく整えた頭をすぐに掻《か》いた。カナの日常から考えれば、今日こうしているのは十分《じゅうぶん》に問題だった。

拳銃《けんじゅう》を拾ったことも大きな問題だったが、鵜呑《うの》みにして相談《そうだん》する気はなかった。

外に出てから、ギャッピーがカナの正面に回る。切り揃《そろ》った髪《かみ》を指で撫《な》でてから、微笑《ほほえ》んだ。

「うん。少し昔《むかし》に戻った」

カナにとって、言われて嬉《うれ》しい褒《ほ》め言葉《ことば》ではなかった。だからつい、捻《ひね》くれる。

「退化《たいか》してるってこと？」

「新しくなるから正解、ってわけじゃないわ」

パジャマの入った軽い紙袋を受け取って、ギャッピーの後についていく。

「お嬢《じょう》さん、そこらへんの喫茶店《きっさてん》でお茶でもどうです。疲《つか》れたよ、足が棒《ぼう》だよ、アシボーだ」

「金もないのによく誘《さそ》うわね。次は面接《めんせつ》。三日経《た》ったら元《もと》のパジャマ娘《むすめ》に戻るもの、綺麗《きれい》な内に行っておかないと」

まるで毛並《けな》みを揃《そろ》えた後の犬《いぬ》を扱《あつか》うようだった。三日経てば汚くなると言いたいらしい。

「せめて近いとこに面接行かせてよ。もうくたくただし」

「大丈夫《だいじょうぶ》、デパ地下の売り子だから。新しい店舗《てんぽ》のとこが人手《ひとで》足《た》りないって言ってたから、そこに紹介《しょうかい》する」

「へー。食べ物屋かぁ……」

高校時代、ドーナツ屋でバイトをして余《あま》りものを貰《もら》って食べ過《す》ぎて気持ち悪くなった日を思い出し、「うぇっぷ」と口を押さえる。そしてそのまま連れられて歩いていると売られに行く気分だったのでカナはつい、ドナドナをぼそぼそと歌い始めた。

時本美鈴

短縮《たんしゅく》授業の日程《にってい》が終わって、帰るのを待《ま》つだけとなった小学生たちは夜を迎えた虫のように騒々《そうぞう》しかった。各々が賑《にぎ》やかな声をあげて、午後の予定を立てている。その浮かれた空気は美鈴《みすず》も例外ではない。机《つくえ》に置いたランドセルを抱きしめて、その中に無造作《むぞうさ》に転がっている拳《けん》銃《じゅう》を思ってニコニコとしていた。隣《となり》に座《すわ》る男子が妙《みょう》なものを見る目となっているが、それにも気づいていなかった。

担任《たんにん》である篠崎達郎《しのざきたつろう》が手を叩《たた》いて、「静かにしろー」と呼びかける。腫《は》れた頬《ほお》が邪魔《じゃま》するのか、喋《しゃべ》りづらそうにしている。その膨《ふく》れ面《つら》がおかしくて、生徒は笑ったままだ。篠崎達郎も自《じ》覚《かく》はあるらしく、バツが悪そうな顔で湿布《しっぷ》に触《ふ》れる。遠くに目をやり、不安げな目つきを一《いっ》瞬《しゅん》見せるが、すぐに教師の顔に戻った。

「今週はこれで終わりだが、遊びすぎて宿題を忘れないようにな」

そう言って、忘れそうな生徒を順々に、思わせぶりな目で睨《にら》む。その中には美鈴も入っていた。美鈴は笑うだけだ。篠崎達郎は呆《あき》れたように息《いき》を吐《は》きつつも、「話は終わり」と手を打った。

その宣言《せんげん》と同時に、入り口に近い生徒から勇《いさ》んで廊下《ろうか》へ飛び出した。金切《かなき》り声のようなものをあげる男子までいる。その喜《よろこ》び方に篠崎達郎は苦笑《くしょう》する他ない。だがすぐ、窓《まど》の方にまた暗い目を向けた。不安に苛立《いらだ》つように脇腹《わきばら》を服の上から掻《か》いて、歯軋《はぎし》りをこぼした。

美鈴もすぐに教室を出てしまったので、そうした篠崎達郎の焦燥《しょうそう》に気づくことはなかった。同級生《どうきゅうせい》と芋洗《いもあら》いか団子《だんご》状態《じょうたい》になりながら階段を下りていく。明日から土曜日ということもあって、ただでさえ半日授業はみんな浮かれるというのに、今日は格別だった。

靴《くつ》を履《は》いて校舎《こうしゃ》から出た後は、裏門《うらもん》から敷地《しきち》外《がい》に出る。そこから美鈴は通学路を無視《むし》して家とは正反対の方角、名古屋駅《なごやえき》の方へ向かう。駅で時間を潰《つぶ》して、小泉明日香《こいずみあすか》が電車で帰ってくるのを待つだけだった。帰ってくる時間は調べてあるので、小泉明日香がよっぽど道草《みちくさ》を食わなければ、長々と待ちぼうけを食らうことはない。待たせるなよと、一方的に呟《つぶや》く。

他の同級生に混じりながら学校から離《はな》れて、集団で信号待ちに引っかかる。専門学校付近の交差点で、そこは駅前の大きな通りとなっている。向かいにある店はケータイショップで、その周辺《しゅうへん》には時々ホームレスが寝転《ねころ》んでいるので、学校では駅に寄り道してはいけないと言われていた。母親からもよく注意《ちゅうい》される。勿論《もちろん》、美鈴はそれらの言いつけを守る子供ではない。

向かい側に立つ緑色《みどりいろ》の帽子《ぼうし》を被《かぶ》った青年の視線《しせん》を感じて、美鈴が目を向ける。青年は美鈴が見つめ返してきても動じる様子《ようす》もなく、ゆったりとした仕草《しぐさ》でまた歩き出す。信号を待っていたはずなのに、まったく別の方向へ行ってしまった。美鈴は首を傾《かし》げる。

知っている人だったのだろうか。思い出そうとしてみるが、まったく心当たりがない。だが視線《しせん》にはなにかしら、特別なものを感じた。知らない人からの異質《いしつ》な視線。

そう考えて、美鈴《みすず》がハッと顔を上げる。

「もしかして、へんたい？　なんとかこんってやつ？」

なんて危ないんだ。自分のことを棚《たな》に上げて、美鈴が怯《おび》える。

今の顔をよく覚えておくことにした。しかし帽子《ぼうし》の印象《いんしょう》の方が強く、『緑の帽子の人』としか覚えられなかった。

信号が変わる。美鈴は走って渡るが、それだけで汗《あせ》が背中に滲《にじ》んできた。そのまま駅《えき》の外を歩いて銀時計の方まで向かうと暑いので、駅構内の端《はし》からソフマップへ入る。大型電気店の中は五月下旬《げじゅん》から早くも冷房《れいぼう》を稼働《かどう》させているのだ。ガチャガチャコーナーの前を通り、買い取り客専用と書かれた休憩《きゅうけい》スペースのソファに座《すわ》りこむ。買い取り用のカウンターが五つほど並んでいるそこは一般客《いっぱんきゃく》の利用がお断りとされているが、律儀《りちぎ》に守っている客はほとんどいない。

美鈴の他にも、置いてあるマッサージチェアに座りこむ会社員や、大量の同じゲームソフトを売りに来ている男が座っていた。時間が早いこともあり、ランドセルを背負《せお》う美鈴にどちらも一瞥《いちべつ》をくれるがなにも言ってはこない。他人に一々口を出すような大人など滅多《めった》にいないのだ。美鈴はそれを理解しているから、堂々と伸びをして、その時を待《ま》つ。

首藤祐貴

『今気づいたけど、お前ってなんでも遅《おそ》いよな』

小学校からの帰り道、いつの間にか後ろにいた小泉明日香《こいずみあすか》に祐貴《ゆうき》が指摘《してき》する。小泉明日香は無言《むごん》ながらも膨《ふく》れ面《つら》となり、足を忙《せわ》しなく動かして祐貴の隣《となり》に並ぶ。中学年になって、一緒《いっしょ》に帰っていると冷やかされるようなときもあったが、祐貴と小泉明日香はその日も一緒だった。

『ユーキーの方が背は高いから』

小泉明日香は独特の発音で祐貴の名前を呼ぶ。ユーで上へ、キーが下に発音するため、名前とは思いがたいユーモラスな呼びかけとなっている。学校の中では、小泉明日香はほとんど誰《だれ》とも喋《しゃべ》らないし、祐貴の側にも寄ってこないので周《まわ》りには知られていなかった。

『こないだ、身長測《しんちょうはか》ったんだろ？　おっきくなってたか？』

『ぜんぜん。腕立《うでた》ていっぱいしたけどかわんなかった』

腕立て関係ないだろ、と祐貴が呆《あき》れる。誰にそんな嘘《うそ》を吹《ふ》き込まれたんだと思ったが、思い返してみると犯人《はんにん》は近くにいた。祐貴である。祐貴はさほど背が高いわけでもないが、小泉明日香よりは長身《ちょうしん》である。なんで背が伸びたか聞かれて、答えに困り、適当《てきとう》なことを言ったのだ。前回は寝《ね》るとき、足を伸ばすようにしていると教えた。そのときは『足つった』と訴《うった》えていたのに、まったく懲《こ》りない。そして祐貴にも多少《たしょう》の罪悪感《ざいあくかん》が芽生《めば》える。

『まーでも、無理して伸びなくてもいいじゃん？』

『やだよ。早くならないと、追いつけないし。早く歩くの疲《つか》れるから』

追いつけない、という言葉《ことば》に祐貴がハッとする。

それは祐貴が、友人たちに常々《つねづね》持っている思いだった。不思議《ふしぎ》に、皮肉《ひにく》に大成《たいせい》していく友人たちに追いつくことの叶《かな》わない祐貴は、小泉明日香の心境《しんきょう》を別の解釈《かいしゃく》で痛感《つうかん》する。

その刺激《しげき》に弱った部分から、隠《かく》している本音《ほんね》が漏《も》れた。

『遅くていいんだ。おれをおいてかないでくれ』

祐貴の願いに、小泉明日香の目が丸くなる。意味が分からないようだ。祐貴としては分からないままでいてほしいので、黙《だま》って首を横に振る。祐貴にとって、友人はできる度《たび》にすぐいなくなるものだ。たとえ相手《あいて》が友達だと思っても、祐貴は思い続けることができない。

才能《さいのう》によって生まれる小高い壁《かべ》を乗り越《こ》えられるのは、その才能を持った者だけなのだ。よじ上っていくら祐貴を見下ろしても、祐貴はその壁を越えて友人の手を摑《つか》むことはできない。

祐貴はなにもないからこそ、孤独《こどく》に陥《おちい》る。その孤独の側に、小泉明日香がいた。

祐貴はそれを大事にしたいと決意する。守りたいと思っている。離《はな》れてほしくないと願う。

そして大事にできると思っていた。守れると信じていた。離《はな》れることもないと感じていた。

だが祐貴《ゆうき》の背は、大人まで含めれば高いものではない。見えていないものがまだたくさんある子供であることを知るのは、それから数年後だった。


「……………………」


団地《だんち》の階段《かいだん》を上がっている途中《とちゅう》で、目が覚めた。

内臓《ないぞう》がストレスで引き締《し》まり、喉《のど》はカラカラで、鼻も乾《かわ》ききっていた。下唇《したくちびる》の裏《うら》を無意識《むいしき》に舐《な》めると、水気《みずけ》が足《た》りなくてざらざらとしている。最低の寝起《ねお》きだった。

夢《ゆめ》に細部《さいぶ》まで侵食《しんしょく》されて、息苦《いきぐる》しい。

昼下がりの授業中、意識《いしき》の途切《とぎ》れていた祐貴が見たものは悪い夢《ゆめ》だった。

現実の延長線上《えんちょうせんじょう》にありながら、触《ふ》れることの決してできないもの。

祐貴にとって、過去《かこ》とは思い出ではない。夢にすぎなかった。

緑川円子

黒田雪路《くろだゆきじ》の逃げ出してからの教室は浮き足立ち、講義《こうぎ》にならなかった。雑談《ざつだん》に明け暮《く》れて、一向《いっこう》に手が進まなくなる。緑川《みどりかわ》はそうした空気を感じ取って、時間より少し早く今回の講義を終わらせた。それについて残念そうな顔をしたのは、姫路《ひめじ》ぐらいだった。

教材を片づけながら、緑川はあの男について悩《なや》む。得体《えたい》の知れない男が紛《まぎ》れこんでいたことを、ビルの管理人に報告《ほうこく》するか迷《まよ》っていた。口べたなので、説明できるか不安だったのだ。

「先生、次回もよろしくお願いします」

姫路が帰り際《ぎわ》、緑川に挨拶《あいさつ》してきた。「ん、うん」と愛想《あいそ》のない緑川に対して、姫路は明朗《めいろう》な笑顔《えがお》で頭を下げた。それから雅《みやび》な格好《かっこう》に似合《にあ》わず、ばたばたと駆《か》けて出ていった。

「……先生っていうのも、アレ。うん、アレだ」

本人にしか納得《なっとく》できないまま、ぶつぶつと何事かを呟《つぶや》く。最後まで語るものはアレだった。

汗《あせ》で額《ひたい》に張りつく前髪《まえがみ》を指で梳《す》いた後、教室にまだ残っている顔を見る。先程《さきほど》の侵入者《しんにゅうしゃ》は、特に主婦層《しゅふそう》の受講者の間で噂《うわさ》になっている。これならどこかを経由《けいゆ》して広がり、お偉《えら》いさんの耳に届くだろうと丸投げして、教室を出た。鍵《かぎ》は次の講義《こうぎ》があるのでそのままにしてある。

出た途端《とたん》、横から青色が飛び出してきた。

「お疲《つか》れ様でした」

弟子《でし》だった。新城雅貴《しんじょうまさき》という名刺《めいし》を持つ男が、いつの間にか戻ってきていた。差し出すタオルまで青色というその徹底《てってい》した男からそれを受け取り、まずは額《ひたい》の汗《あせ》を髪《かみ》ごと拭《ふ》いた。

「今帰ってきたの？」

「あ、いえ。途中《とちゅう》で戻ってきてはいたんですが。いやまぁ、ははは」

ごまかすように新城が目尻《めじり》を掻《か》く。聞かれたくないなにかがあるようだった。

だからどこへ行っていたのかについては尋《たず》ねないで、緑川《みどりかわ》が歩き出す。ついでに歩く最中《さいちゅう》、タオルをまた頭に巻いた。巻かないと落ち着かないようだ。

新城も横に並ぶ。新城は背が高いため、一緒《いっしょ》に歩くとその影《かげ》に頭を押さえつけられるようで、緑川は居心地《いごこち》がよくない。新城はそれに気づいていないようで、いつも横に並んでしまう。

「どうでした、今回の講義は」

「普通。でも上手《うま》くいかなかった」

「それが普通では困りますねぇ……上手くいかなかったというと？」

新城は教室の状況《じょうきょう》を見ていなかったらしく、なにも知らない様子《ようす》だった。階段を下りてビルを出た後に、緑川が怪《あや》しい男について説明する。

「受講者《じゅこうしゃ》じゃない男が紛《まぎ》れて座《すわ》っていた。で、ばれたら走って逃げた」

ついでにその歩道で歯《は》の浮くようなことを言い出した、という点については黙《だま》っておいた。台詞《せりふ》の再現《さいげん》を求められるのが嫌《いや》だったからだ。話を聞いて、新城の顔つきが険《けわ》しくなる。

「警察《けいさつ》に通報《つうほう》しますか？」

「え。別に、いいよ。面倒《めんどう》だし」

緑川が手を横に振る。大事《おおごと》にする気はなかった。新城は顎《あご》に手をやり、唸《うな》っている。

「でも、師匠《ししょう》が誰《だれ》かに狙《ねら》われているかもしれませんからね」

「まさか」

一笑《いっしょう》に付《ふ》した。冴《さ》えない陶芸家《とうげいか》など誰が気にかけるものかと、緑川は新城の心配などまったく相手《あいて》にしない。自分がそこまで人に意識《いしき》されることもないと思っているのだ。

新城は納得《なっとく》がいっていないらしく、難《むずか》しい顔つきのままだ。緑川は前だけを向いていて、その表情を気にも留《と》めない。緑川の人付き合いの悪さは、そうした無関心《むかんしん》の部分にあった。

「この後の予定は？」

「個展《こてん》の会場に顔だけ出して挨拶《あいさつ》した後、帰る」

横断歩道を渡りながら緑川が答える。「分かりました」と頷《うなず》く新城は、そこでようやくいつもの爽《さわ》やかな顔つきに戻った。その引っかかるものを感じさせない、するりと心を抜けるような笑顔《えがお》は緑川にとって、胡散臭《うさんくさ》い仮面《かめん》にしか映らない。

「あんた、なんで私の弟子《でし》やってるの？」

少し唐突《とうとつ》に緑川《みどりかわ》が尋《たず》ねる。新城《しんじょう》はその『いきなり』にも慣《な》れているのか、すぐに対応《たいおう》した。

「師匠《ししょう》の作品のファンだからですよ、当たり前じゃないですか」

「そう」

緑川が流す。だが数歩《すうほ》進んだところで、新城を見上げた。

「あんたは嘘《うそ》をつくときに笑わない方がいい。分かりやすいから」

緑川なりに気を遣《つか》った忠告《ちゅうこく》のつもりだった。それに対して「善処《ぜんしょ》します」と、やはり変わらない笑い顔を晒《さら》して新城が応《こた》える。糠《ぬか》に釘《くぎ》を打ちこむような、手応《てごた》えのない男だ。

だからなにも教え甲斐《がい》がないのだと、緑川が舌打《したう》ちをこぼした。

花咲太郎

「今の子、なかなかに美女だったなぁ」

太郎《たろう》が美女と評《ひょう》した先にいたのは、青いランドセルを背負《せお》った女の子である。言い間違《まちが》いでもなんでもなく、太郎にとっては『結婚適齢期《けっこんてきれいき》』の女性なのだ。視線《しせん》に気づかれたので離《はな》れて、遠回りしながら居酒屋《いざかや》に向かった。世間が自分のような者に厳《きび》しいのは、太郎としても重々《じゅうじゅう》承知《しょうち》して、身《み》に染《し》みていた。だが太郎はあるがままを尊重《そんちょう》し、自《みずか》らを貫《つらぬ》く。

先程《さきほど》渡ろうとしていた横断歩道を遠回りに越《こ》えてから、聞きこみをしたコンビニ、専門学校の前を抜けて更《さら》にずっと進んだ先にあるビルの1Fに、その居酒屋はある。赤色の提灯《ちょうちん》が屋根の下で揺《ゆ》れていて、いかにもという雰囲気《ふんいき》だ。作り自体はビルの一部なため、壁《かべ》や外見《がいけん》に古《ふる》臭《くさ》い印象《いんしょう》はない。店の置き看板《かんばん》だけが汚れきっていた。

居酒屋から真《ま》っ直《す》ぐ歩くと駅《えき》に着く。その間に例の駐車場《ちゅうしゃじょう》の前も通るので、篠崎達郎《しのざきたつろう》はそこで酔《よ》っぱらいと絡《から》んだのだろう。若者が相手《あいて》というのも、専門学校の外で集団を作って煙草《たばこ》を吸《す》う連中を見かけるとあり得ると思ってしまった。

営業時間外なので開くとは期待していなかったが、電源《でんげん》の入っていない自動扉《とびら》は簡単《かんたん》にスライドした。正面から右手にあるカウンターの奥に座《すわ》っていた中年の目が、ぎろりと動く。

「ごめんください」

白髪頭《しらがあたま》の中年に、太郎《たろう》が声をかける。中年が頭を動かすと、雪《ゆき》が溶《と》けるようだった。口の方は固く結《むす》んで動かない。見慣《みな》れない客である太郎を警戒《けいかい》している素振《そぶ》りだった。

太郎も返事が来るまでは、それ以上なにも言おうとしない。店内を見回す。カウンター席《せき》が六つに、テーブル席が三つ。さして大きい店ではない。目を惹《ひ》くものとしては、飲料を保存する冷蔵庫《れいぞうこ》の奥にポ○ションが置かれていた。透《す》き通るような青色が目に眩《まぶ》しい。何年ものだよと、太郎が懐《なつ》かしさに目を細める。

「うちは食堂じゃないぞ」

中年がようやく口を開く。太郎は脱帽《だつぼう》してから、用件《ようけん》を述《の》べる。

「ちょっとお尋《たず》ねしたいことがありまして」

中年の返事はすぐにない。太郎はそれを待《ま》たずに質問《しつもん》した。

「篠崎達郎《しのざきたつろう》さんをご存じですか？」

「……まず名前と職業《しょくぎょう》でも名乗ったらどうだい。人になにか聞く前にな」

もっともなことを指摘《してき》される。太郎も普段《ふだん》なら必《かなら》ず先に名乗るし、名刺《めいし》も出す。だが時と場合によっては無礼《ぶれい》も働《はたら》く。今回、敢《あ》えて最初にその名前を出したのは相手の反応を窺《うかが》うためだ。

依頼主《いらいぬし》の篠崎達郎は太郎に隠《かく》していることがある。それを確信《かくしん》しているからこそ、篠崎達郎と、それに繋《つな》がるものを信用せず行動するという方針《ほうしん》を立てている。この居酒屋《いざかや》の店主《てんしゅ》らしき人物に対しても同様《どうよう》だった。それ故《ゆえ》、小細工《こざいく》を弄《ろう》するのは好《す》かないが揺《ゆ》さぶりもかける。

店主の反応《はんのう》は慎重《しんちょう》で、こちらの素性《すじょう》によって、出方《でかた》を決める腹《はら》づもりなのだろう。

太郎も出方に迷《まよ》うが、探偵《たんてい》では警戒を強めそうなので詐称《さしょう》することにした。

「申《もう》し遅《おく》れました。僕は鹿西均《しかにしひとし》、篠崎さんの同僚《どうりょう》です」

使った偽名《ぎめい》は過去《かこ》の依頼者の名前だった。篠崎達郎の職業が小学校の教員だとは聞いているので、本当に同僚ならどれだけいいかと太郎は内心《ないしん》、歯軋《はぎし》りをこぼしていた。

「と、言われてもな……客の名前なんか一々覚えてないぞ」

店主が迷惑《めいわく》そうな顔で答える。太郎は愛想《あいそ》良く笑いながら、カマをかける。

「仲《なか》がいいと本人から聞いたんですが」

「相手《あいて》がそう思っているだけじゃあないのか」

店主の言い分は否定《ひてい》としては弱い。

同僚だったら本人に聞けばいいだろ。太郎ならそう突《つ》っぱねた。

「じゃあ質問《しつもん》を変えます。昨日《きのう》、落とし物がありませんでした？」

「落とし物？」

「こんなのですけど」

紙でできた銃《じゅう》を店主《てんしゅ》に山なりに放る。店主の目の色が変わり、仰々《ぎょうぎょう》しくそれを受け止める。

手のひらに載《の》ったところで、その重みからそれが本物ではないと気づいたらしい。

しかしその露骨《ろこつ》な反応から、太郎《たろう》は色々と思うところが増えた。

「落とし物も弾《たま》は出ませんよ、玩具《おもちゃ》です。で、ありませんでしたか？」

店主の太郎を見る目つきが変化する。青信号が赤へと変わるように、警戒《けいかい》を強めて。

「いや、そんなものはなかった」

「そうですか……」

そんな簡単《かんたん》に行くはずないか、と太郎が期待もしていなかったことを表面上、残念がる。

「お前、なんなんだ？　同僚《どうりょう》なんて嘘《うそ》だろう」

「そちらが正直に話してくれるなら、僕も嘘をつくのは止めますよ」

お互《たが》いに、あれが嘘、これが正しいと境界《きょうかい》を作らずに曖昧《あいまい》な受け答えとなる。

近寄って、紙の銃を返してもらう。投げ捨てるように手放したそれをジュラルミンケースにしまった後、太郎は少しの間を置いてから本命《ほんめい》の質問《しつもん》をぶつけてみた。

「一つ答えてほしいんですけど。篠崎達郎《しのざきたつろう》さん、楽しそうに飲んでいましたか？」

太郎の質問に、苦《にが》い顔のまま店主は考え込む。ややあってから、重苦しく頷《うなず》いた。

「悲痛《ひつう》そうな顔では、なかったな」

「ふむふむ。こんなもん持って楽しく飲むってことは、邪《よこしま》な動機が……」

「ちゃーっす」

頭にタオルを巻いた男が入ってきた。暑いためか上着は脱《ぬ》いで、夏服《なつふく》の学生のような格好《かっこう》だ。

店主とは顔馴染《かおなじ》みらしく、親しげな顔で近づいてくる。

「あれ、先客《せんきゃく》がいるのかな。ここランチもやるようになったの？」

その男が太郎を一瞥《いちべつ》する。太郎は目があって、妙《みょう》な既視感《きしかん》めいたものを覚えた。会ったことは確実《かくじつ》にないが、なにかを感じる。そのせいで声を出すのが一拍遅《いっぱくおく》れた。

「あぁ、急ぎの用でもないしどうぞ」

男に場所を譲《ゆず》る。人に聞かれて愉快《ゆかい》な話でもないので、先に済《す》ませて帰らせるか、離《はな》れてもらうことにした。「悪いね」と男が遠慮《えんりょ》なく空《あ》いたそこへと移動する。

「酒も飲めないやつがなにしに来た」

店主が低い声で用件《ようけん》を尋《たず》ねると男が写真を見せる。脇《わき》に一歩引いた太郎もその写真に目をやった。写真には壺《つぼ》が写っている。芸術的《げいじゅつてき》な素養《そよう》はないので、その壺の価値《かち》や名声《めいせい》については想像もつかない。店主も壺に惹《ひ》かれる様子《ようす》はなく、訝《いぶか》しそうにしていた。

「お前、骨董業者《こっとうぎょうしゃ》でも始めたのか？」

「ちゃうちゃう。ここのお客さんにさ、こういう壺とか陶芸《とうげい》、芸術《げいじゅつ》に詳《くわ》しい人いただろ？　その人に話を聞いてみたいんだよ。今日、明日でもいいけど。来たとき聞いてみてよ」

男が早口《はやくち》で依頼《いらい》する。太郎はそれを聞いて、事務所の所長が、そうした方面に詳しいことを思い出す。探偵業《たんていぎょう》には疎《うと》い割《わり》に、わりかしどうでもよい知識《ちしき》が豊富《ほうふ》な上司《じょうし》なのだ。

「おっと」

電話がかかってきたので、太郎《たろう》が店の外へ出る。そして携帯《けいたい》電話を取り出す。

携帯電話にはサファイアでできた魚のストラップがぶら下がっている。

「おや、仕事中に珍《めずら》しい」

太郎の同居人《どうきょにん》である少女からの電話だった。嬉々《きき》として出てみる。

『ルイージ、やっほー。今日は駅《えき》にいるんでしょ?』

同居人は太郎のことをルイージと呼ぶ。緑色《みどりいろ》の帽子《ぼうし》から連想された、安直《あんちょく》なあだ名だった。

「正確には駅の周《まわ》りね。どうしたの?」

『帰りにデパ地下でケーキ買ってきて。偶《たま》にはお饅頭《まんじゅう》よりケーキがいい』

「ケーキ? うぅん、ケーキかぁ」

『んん? 文句《もんく》あるの?』

「いや、たくさん買っても最後は僕が全部食べる羽目《はめ》になるからなーと」

『今回は大丈夫《だいじょうぶ》よ』

なんの根拠《こんきょ》もなく言いきってくる。太郎は苦《にが》笑いをこぼしつつ、「分かったよ」と了承《りょうしょう》した。

「ついでにケーキの中に婚約指輪《こんやくゆびわ》とかサプライズに入れておこうか?」

『きゃー、死んでー』

電話を切られた。太郎は電話をしまいながら、「そりゃそうだ」と頷《うなず》く。

「教えちゃあサプライズじゃないしな」

探偵の割に着眼点《ちゃくがんてん》は悪く、しかし愚直《ぐちょく》に前向きな男だった。

他の男が壺《つぼ》の話をしているのを横で聞いていても意味がないので、太郎は居酒屋《いざかや》の中に戻らず引き返すことにした。途中《とちゅう》、専門学校の前の交差点で信号待《ま》ちに引っかかる。

日の下で帽子のツバを弄《いじ》りながら待っていると、後ろから駆《か》け足が近づいてきた。その音が、振り向く前に太郎の隣《となり》にやってくる。

「よぅ。俺、黒田《くろだ》」

「え？　あぁどうも、花咲《はなさき》です」

親しげに後ろから肩を叩《たた》いて並んだのは、先程《さきほど》のタオルを巻いた男だ。用事を済《す》ませてきたのか、手もとから写真がなくなっている。代わりに上着を着て、軽く汗《あせ》を浮かべていた。

なんだこいつ、と太郎が愛想《あいそ》笑いの奥で訝《いぶか》しむ。

青信号になっても太郎の隣を歩いて、自分のペースで進もうとしない。

「なにか用ですか？」

耐《た》えかねて用件《ようけん》を尋《たず》ねると、「いや別に」と黒田が肩をすくめる。

「でもね、一目《ひとめ》見てピンときた。きみとは友達になれそうだ」

「そうかな」

「そうとも。俺の勘《かん》はよく当たるんだ」

太郎《たろう》はそこで、自称《じしょう》友人である『殺し屋』を思い出す。馴《な》れ馴れしい態度《たいど》や、最初から友達面《づら》して接してくる部分がよく似《に》ていた。そしてそうなると太郎としては、憂鬱《ゆううつ》になる。

こういうのは人当たりがいいのではなく、単《たん》に図々《ずうずう》しく、太々《ふてぶて》しいだけなのだ。

乗り気な黒田《くろだ》と、冴《さ》えない顔の太郎が対照的《たいしょうてき》なまま、同じ道を行く。

黒田雪路

自分はどこかでなにかを間《ま》違《ちが》えているんだろうなぁという感覚《かんかく》が、黒田には常々《つねづね》つきまとう。人を殺して営《いとな》まれる生活は、黒田にとって少なくとも正しいとは到底《とうてい》思えない。しかし、そこにしか生きる道がないと思いこんでいる時点で、自分はこの世界の袋小路《ふくろこうじ》にいるのだと、黒田は理解していた。

「酔《よ》ってもいないのに、酔っぱらいみたいなこと言うんだな」

殺し屋の部分だけ省《はぶ》いて語った感想として、花咲《はなさき》の一言《ひとこと》は少々の辛辣《しんらつ》さがめだった。駅《えき》へと向かう花咲の横に並んで、黒田も目的はないが一緒《いっしょ》に歩いていた。

「昼間から居酒屋《いざかや》に行くぐらいだからな！　ナチュラルハイってやつ？」

「聞かれても」

花咲の受け答えは淡々《たんたん》としている。そうこうしている間に、コンビニの前を通りすぎた。

「ところできみってなんの仕事？　昼間にふらふら歩いているなんて羨《うらや》ましいね」

「あんたも同じに見えるが……僕はヤキトリ売りだよ」

太郎《たろう》が堂々と答える。黒田《くろだ》が訝《いぶか》しむ間も与えず、仕事の内容を語った。

「居酒屋《いざかや》を回って、串《くし》に刺《さ》さったヤキトリを売りこむ仕事さ。営業マンってやつ」

「ああ、チェーン店のヤキトリみてーなのを売ってるわけか。暑いのにご苦労さん」

「だろう？　今回も断られて無駄足《むだあし》だったよ。これだから頑固《がんこ》な爺《じい》さんは困るよね」

二人が朗《ほが》らかに、しかしどこか白々《しらじら》しく笑い合う。

「そちらさんは、あの壺《つぼ》はなんだい」

太郎が尋《たず》ね返してくる。黒田も同様《どうよう》に迷《まよ》わないで胸《むね》を張り、嘘《うそ》で着飾《きかざ》った。

「実は俺、探偵《たんてい》なんだよ」

「……へぇー。面白《おもしろ》い仕事してるんだな」

「だろう？　あの壺の持ち主《ぬし》を探《さが》してくれとか頼《たの》まれてさ。美術商《びじゅつしょう》に頼めって話だよ」

「ほんとだよなぁ」

太郎の同意は軽快《けいかい》で、好青年《こうせいねん》を気取る。黒田もそれを受けて白い歯を見せるように笑うが、お互《たが》いに相手の言い分などまるで信じていないのは明白《めいはく》だった。

専門学校の前で、また大通りの信号待《ま》ちに引っかかる。花咲はその周辺《しゅうへん》を、なにか探すように首を巡《めぐ》らせている。黒田はそれとなくその横顔を観察して、当たり障《さわ》りのないことを尋ねる。

「どこ行く気なんだ？」

「お姫様《ひめさま》がデパ地下のケーキをご所望《しょもう》なんだ」

「彼女がいるのか。羨《うらや》ましいなぁ」

「はっはっは。やらんぞ」

「いらんぞ。そういや、居酒屋では鹿西《しかにし》じゃなかった？　花咲《はなさき》さん」

なんてことない流れに乗って、黒田が唐突《とうとつ》に『攻撃《こうげき》』を開始する。

大型自動車の到来《とうらい》によって、二人の会話は強制的《きょうせいてき》に途切《とぎ》れる。その騒々《そうぞう》しい音が過《す》ぎ去《さ》ってから、花咲は前を向いたまま、端的《たんてき》に黒田を批判《ひはん》した。

「探偵だからって盗《ぬす》み聞きが許されるとでも？」

「許されるんじゃないかな」

「かもねぇ」

花咲が思わせぶりに同意して、肩を揺《ゆ》する。黒田も飄々《ひょうひょう》とした態度《たいど》のまま、頬《ほお》をつりあげる。

意図《いと》したわけではないが偶然《ぐうぜん》居合《あ》わせたことで、黒田は花咲と店主《てんしゅ》の会話を外で聞いていた。その中で花咲が拳銃《けんじゅう》の模型《もけい》のようなものを取り出したことで、接触《せっしょく》を試《こころ》みることを決めた。

拳銃探して、なにがヤキトリ売りだと口の中で毒《どく》づく。

「どっちがきみの名前なわけ？」

「どっちも違《ちが》うよ。これは名字《みょうじ》だ」

「わははは」

思わず道路へ突《つ》き飛ばしたくなるほど腹《はら》の立つ返事だった。だが黒田はそうした花咲のつれなさを、むしろ好《この》ましく感じる。相手《あいて》にされないほど絡《から》みたくなる性分《しょうぶん》だった。

花咲《はなさき》が信号を見計《みはか》らって、青になる前に歩き出す。黒田《くろだ》は迷《まよ》うことなく一緒《いっしょ》に前へ出た。

「篠崎《しのざき》たっちゃんがなくしたやつって本当に玩具《おもちゃ》なわけ？」

まるで友人同士《どうし》の共通な話題のように、黒田が質問《しつもん》する。花咲は鬱陶《うっとう》しそうに眉《まゆ》を寄せた。

「ヤキトリ売ることと関係ないからどうでもいいよ」

「きみとヤキトリに関係があるのかも怪《あや》しいもんだがね」

「鳥肉美味《とりにくおい》しいから好《す》きだよ」

「じゃあ俺も鳥肉と友達だやったー。……で？」

「なにが？」

「どうなのかなって。篠崎さんだよ」

名前に聞き覚えはなく、年齢《ねんれい》も不明なのでコロコロと呼び方が変わる。花咲は無視《むし》して交差点を渡り、道なりに進んでソフマップの方へと向かう。黒田もまだ後についていく。

「なぁなぁ、ひょっとしてきみ、探偵《たんてい》かなにか？」

花咲がようやく反応《はんのう》する。駐車場脇《ちゅうしゃじょうわき》の酒屋《さかや》の前で黒田に振り向いて、肩をすくめた。

「人の話を聞かないやつだな。ヤキトリ屋さんだよ」

仕事の内容が微妙《びみょう》に変わっている。売る方から焼く方になっていた。

「話は聞くが、嘘《うそ》は精神衛生上《せいしんえいせいじょう》聞き流すことにしている。いや、人のなくしたものを代わりに探《さが》すのって探偵の仕事じゃないか。それにきみの帽子《ぼうし》とかそれっぽくない？」

「こんなものを根拠《こんきょ》にされてもな。じゃあそっちは工事現場か？」

花咲の目線《めせん》が黒田の頭のタオルに行く。土汚れのめだつタオルの端《はし》を摘《つま》んで、黒田が笑った。

「そこは陶芸科《とうげいか》の先生といってほしいな」

そろそろ化かし合いの引き際《ぎわ》も頃合《ころあ》いかと思い、黒田が顔の前で、右手で拳銃《けんじゅう》の形を作る。

花咲はその指の先端《せんたん》を見て、溜息《ためいき》を吐《つ》く。

「さっきのこれ、見つけたら教えるから連絡先を交換《こうかん》しよう」

「嫌《いや》に決まっているだろ。僕は美人と仕事の番号以外は登録《とうろく》したくない」

シッシと、花咲が手で追い払《はら》う仕草《しぐさ》を見せる。黒田は歯を見せて笑い、無理強《むりじ》いはしない。

「あ、そ。それじゃあ、ケーキ買うならいいとこ教えてやるよ。そこ、プリンの方が有名《ゆうめい》だけどケーキも美味《うま》いよ」

そう前置きして、黒田が店名《てんめい》を伝《つた》える。

「参考にさせてもらう」

態度《たいど》が一貫《いっかん》して硬《かた》い花咲に、黒田は最後まで友達面《づら》の象徴《しょうちょう》たる厚かましい笑顔《えがお》を固持《こじ》した。

一方的に手を盛大に振って別れながら、黒田が忘れないようにと反芻《はんすう》する。

「篠崎ね。篠崎達郎《たつろう》」

機会《きかい》があれば、参考にさせてもらおう。

岩谷カナ

ギャッピーに連れられた先で、カナはめいっぱいの甘《あま》い香《かお》りを吸いこむ。和菓子《わがし》と洋菓子《ようがし》の売り場が明確に区別して配置されている地下街《ちかがい》の中で、カナが出会ったのはバターと砂糖《さとう》の濃《のう》厚《こう》な匂《にお》いだった。カナの鼻がひくひくと動くのを見て、「犬《いぬ》だわ」とギャッピーが呟《つぶや》いた。

その売り場では丁度《ちょうど》、青年と少女がロールケーキとプリンを買っていくところだった。癖《くせ》毛《げ》の少女は唇《くちびる》を尖《とが》らせたまま青年の腕《うで》を摑《つか》んでいる。一方、中性的《ちゅうせいてき》な顔立ちの青年は財布《さいふ》がもう空《から》であることを仕草《しぐさ》で強調《きょうちょう》しながら、上りのエスカレーターの方へと去《さ》っていった。

「ああいう客にいらっしゃいませー、ありがとうございましたーってちゃんと言うのよ」

ギャッピーがペットに芸《げい》でも教えこむようにカナに指導《しどう》する。

「おっすっす」

「声出せる？　普段喋《ふだんしゃべ》ってないからって噎《む》せたりしないでよ」

「大丈夫《だいじょうぶ》だよー。部屋《へや》で独《ひと》り言《ごと》いっぱい喋ってるから」

カナの得意げな顔と報告《ほうこく》を受けて、「それはそれで」とギャッピーが沈痛《ちんつう》な顔になる。

売り子が一息《ひといき》ついたのを見計《みはか》らい、ギャッピーがショーケースの前に移動する。売り子は営業用の挨拶《あいさつ》を口にしかけたが、ギャッピーの顔を見て「あらこんにちは」と顔をほころばせる。

「こんにちは。ねぇ例のバイトなんだけど。この子、使ってみてくれない？」

ギャッピーがカナを前へ突《つ》き出す。首から手を離《はな》して、自分で立たせる。カナも友人の紹《しょう》介《かい》である以上、最初からその面子《めんつ》を潰《つぶ》さないために背筋《せすじ》を伸ばした。

「しゃーす」

しかし挨拶は緩《ゆる》い。中年の売り子が、色の濃《こ》い唇と紫色《むらさきいろ》に染まった目もとを曲げる。

「妹さん？」

「ううん、友達。見た目はなかなかだし、指示さえすれば真面目《まじめ》に動くと思うから。これこいつの履歴書《りれきしょ》」

「指示待《しじま》ち人間です、がんばります」

後半は心にもなかったが、つらつらと口から出る。余計《よけい》なことは言わなくていいとばかりに、ギャッピーがカナの後ろ髪《がみ》を軽く引っ張る。手綱《たづな》を引っ張られる馬の気分で、「うぎゃ」と鳴く。

売り子は受け取った履歴書に目を通さずに棚《たな》に置く。

「ふぅん。まだ採用《さいよう》の予定もないし、あんたの推薦《すいせん》なら構わないけど」

売り子がカナを見つめる。カナはさし当たって笑顔《えがお》となり、受け入れられようと努《つと》める。

「にっこり」

「なんでも口に出さなくていいの」

またギャッピーが叱《しか》る。妹どころか、娘《むすめ》のようだった。

「名前は？」

「カナです。岩谷《いわや》カナ」

人に名乗るのも数ヶ月ぶりだった。それは出会いがないだけで、名前自体を嫌《きら》っているわけではない。むしろカナという名前は、眠いときも簡単《かんたん》に書けるので気に入っていた。

「そう、岩谷さん。じゃあ、明日から早速《さっそく》出て来られる？」

「明日ですかぁ。えぇとスケジュール帳《ちょう》を確認《かくにん》して、」

「大丈夫《だいじょうぶ》です、暇《ひま》ですから」

勿体《もったい》ぶろうとするカナを無視《むし》して、ギャッピーが答えた。更《さら》にカナがそれを咎《とが》める前にギャッピーが頭を押さえつけてしまう。しかも文句《もんく》を先読みされたように、発言への釘《くぎ》を刺《さ》される。

「白紙《はくし》のスケジュール帳見てなにが楽しいの。じゃあこの子のこと、お願いします」

言って、カナの頭を下げさせる。カナは多少の不満があったが、大人しくそれに従《したが》う。

そんな二人のやり取りを見ていて、売り子が微笑《ほほえ》ましいものを見るような目で、誤解《ごかい》する。

「年下の子の世話までして、ほんと面倒見《めんどうみ》いいわね」

「いえ、あの同級生《どうきゅうせい》です、一応《いちおう》」

そう訂正《ていせい》を求めるカナの声は小さく、俯《うつむ》いていて売り子に届かなかった。

「よし。私は仕事あるから、あんたも頑張《がんば》るのよ」

「うんうん明日から。というわけでお家かえ、るー……」

放課後《ほうかご》を迎えて、喜《よろこ》んで帰ろうとする小学生みたいなカナの眼前《がんぜん》に手を突《つ》き出して、ギャッピーが制する。ようやく解放されるかと思ったのに、カナにとっての束縛《そくばく》はまだ続く。

「あんたは少しそこにいて仕事を学んでおきなさい。試験でもぶっつけ本番に弱いんだから」

学生時代からの傾向《けいこう》を指摘《してき》して、カナを黙《だま》らせる。「お願いします」とまた頭を下げてから、ギャッピーが小走りでエレベーターの方へ走っていった。ギャッピーの担当《たんとう》は6Fの婦人服《ふじんふく》売り場なので、エスカレーターで駆《か》け上がるよりそちらの方が早いのだろう。

一人残ったカナは友人を見送った後、「でへへ」と頭を掻《か》いてだらしなく笑う。売り子との距離感《きょりかん》や、身《み》の置き場に困っているようだった。売り子はギャッピー同様《どうよう》、それなりに世話好《せわず》きなのか「こっちに回っておいで」とカナを手招《てまね》きする。カナは指示待《しじま》ち人間という自称《じしょう》を実践《じっせん》するように、ばたばたと走ってショーケースの向こうへと回った。

「確かあったでしょ」と、売り子が包み紙やメモ帳の置かれた棚《たな》の下側を漁《あさ》る。輪ゴムやらハサミが乱雑《らんざつ》にしまってあるそこから、『研修中《けんしゅうちゅう》』の名札《なふだ》を取り出した。それをカナに差し出してくる。カナはそれを胸《むな》もとに挟《はさ》んでつけて、漫画喫茶《まんがきっさ》で働《はたら》きだした頃《ころ》を思い出した。

「別にここでお菓子《かし》自体《じたい》は作ってないから、特別な技術《ぎじゅつ》はいらないよ。でもずっと立ってないといけないし、品切れ商品の補充《ほじゅう》とかもやるから売り時は大変なの。あんた大丈夫？」

「ええはい、ぎゃっぴ……じゃなくて、友達の紹介《しょうかい》だし、がんばろうかなって」

弱々しくはあるが、殊勝《しゅしょう》な態度《たいど》を取る。しかし売り子には『二ヶ月ぐらい働《はたら》いたら辞《や》めてもいいかな』という内心《ないしん》を見抜かれているように、反応は芳《かんば》しくなかった。

そうこうしている間に客がやってくる。昼前、カナがコンビニで見かけた緑色《みどりいろ》の帽子《ぼうし》の男だった。売り子の背後《はいご》の柱《はしら》に設置された水色の看板《かんばん》を一瞥《いちべつ》して、「ここか」と引き寄せられる。膝《ひざ》に手をつきながら、ショーケースを覗《のぞ》きこむ。

カナはそれを一歩引いた位置から眺《なが》めて、「いらっしゃいませー」とぼそぼそ口にした。こんな感じ？　と売り子の顔を窺《うかが》う。評価《ひょうか》は溜息《ためいき》だった。

「見た目通りに覇気《はき》のない子だね」

「はぁ」

「勤務中《きんむちゅう》にヨダレは垂《た》らさないでね」

指摘《してき》されたカナが口もとを服《ふく》の袖《そで》で拭《ぬぐ》う。そうした仕草《しぐさ》が子供扱いされる所以《ゆえん》なのだが、幸《さいわ》い、どこも濡《ぬ》れていることはなかった。単《たん》に口が半開きなことを注意しただけなのだろう。

カナだってわざと口を開いているわけではない。幼《おさな》い頃《ころ》からの癖《くせ》なのだ。そしてやる気がないのもわざとではなく、出せるものならカナも出したいところではあった。それこそ拳銃《けんじゅう》をこめかみに突《つ》きつけられても、奮《ふる》い立つことはないのかもしれないとカナは思う。

緑帽子の男はプリンケーキとミルフィーユ、それにプリンを二つ注文《ちゅうもん》した。売り子がケーキ二つとプリンをショーケースの上に並べて、「ご注文の品はこの四点でよろしいでしょうか」と確認《かくにん》を取る。男が頷《うなず》くと、売り子が看板と同じ水色の箱《はこ》を二つ用意する。一つは底に穴《あな》が空《あ》いたプリン用、もう一つはケーキ用だ。そこにてきぱきと詰《つ》めてから、男にまた確認する。

「タカシマヤカードと駐車券《ちゅうしゃけん》はお持ちですか？」

「いえ」

「これちゃんと聞くように」

売り子が接客《せっきゃく》ついでにカナに教える。カナもデパ地下で買い物した経験《けいけん》はあるので知っていたが、両方関係ない人間からすれば答えるのが面倒《めんどう》なだけの質問《しつもん》だった。

男の方も同じような顔になっている。財布《さいふ》から紙幣《しへい》と小銭《こぜに》を取り出して、丁度《ちょうど》の金額《きんがく》を置いた。そのついでにカナを一瞥《いちべつ》する。制服を着ていないので一瞬《いっしゅん》、気になったようだ。それも研《けん》修中《しゅうちゅう》という名札《なふだ》を見てすぐに納得《なっとく》してしまい、興味《きょうみ》を失って目を逸《そ》らす。カナもその男に引かれるものはなかった。これだけの短い時間、言葉《ことば》も交わさないで、お互《たが》いに気づくことはできない。追う者と追われる者の関係であることなど。カナにいたっては追われる自覚《じかく》もないのだ。

「お持ち歩きの時間はどれくらいでしょうか」

保冷剤《ほれいざい》を入れる段階で売り子が尋《たず》ねる。男は指折《ゆびお》り数え始めるが、その途中《とちゅう》で料金表に目が止まる。三時間以上だと保冷剤の追加《ついか》料金があることを知って、折っていた指が戻りかけるが結局、「六時間で」と指定した。普段《ふだん》より大量の保冷剤が中に敷《し》き詰《つ》められる。

追加分《ついかぶん》の料金を払《はら》った後、受け取った二つの箱《はこ》が入った袋を持って男が店を後にする。

ありがとうございましたーと二人で見送った後、売り子がカナに尋《たず》ねた。

「接客《せっきゃく》の内容はこんな感じ。質問《しつもん》ある？」

「あるっちゃー、ありますけど」

なんで自分がこんなところにいるのかとか、自分はこれからどうした方がいいとか色々あったが、それらに関しては誰《だれ》も答えてくれそうにないので、カナは三つめに気になる質問を選ぶ。

「余《あま》ったプリンって貰《もら》えるんですか？」

売り子が目を丸くする。放置した履歴書《りれきしょ》を手に取って、年齢《ねんれい》を確かめる。

そして最後は苦々《にがにが》しい顔となり、「アホ」とカナの額《ひたい》を叩《たた》いた。

まだ十分《じゅっぷん》も話していない人まで、頭の出来《でき》に適確《てきかく》な評価《ひょうか》を下してくる。

自分のアホはどうやら本物らしいぞ、とカナは軽く目眩《めまい》を感じた。

なめらかプリン
¥500
NEW
プリン・ア・ラ・モード
¥500

首藤祐貴

住む場所が似《に》通《かよ》っている以上、利用する地下鉄も、時間も被《かぶ》ることは往々《おうおう》にしてあることだった。そこに祐貴《ゆうき》の意図《いと》はない。だが乗りこむ車両《しゃりょう》も同じとなるのは、偶然《ぐうぜん》ではない。

かつての祐貴は淡《あわ》い希望を抱《いだ》きながらひっそりと追いかけ回すことに、後ろめたさや罪悪感《ざいあくかん》のようなものが伴《ともな》っていた。だが現在《げんざい》の祐貴には、小泉明日香《こいずみあすか》を追いかける大義名分《たいぎめいぶん》のようなものがあった。少なくとも本人にとっては、胸《むね》を張っていい動機として機能《きのう》している。

それは『守る』こと。

小泉明日香は現在、得体《えたい》の知れない危険に晒《さら》されている。

その危険に気づいて守ってやれるのは自分だけだ。

二ヶ月前、ある落とし物を拾って以来、祐貴はそれが自《みずか》らの役目《やくめ》だと信じて疑わない。

祐貴が『特別』を得るための武器として拳銃《けんじゅう》を選んだのは、それも理由の一つだった。

名古屋《なごや》まで四駅《えき》、時間にして十二分弱《じゃく》の距離《きより》を、祐貴は手すりに掴《つか》まりながら送る。小泉明日香は扉《とびら》の側に寄りかかるようにして立って、ガラスの外に広がる真《ま》っ暗闇《くらやみ》を見つめている。

その右側の扉が、名古屋駅に到着《とうちゃく》したときに開く方だと祐貴も理解していた。

祐貴の斜《なな》め右に、小泉明日香がいる。背中を向けてはいるが、祐貴は鞄《かばん》の位置の調整や腰《こし》を回すなどの仕草《しぐさ》に交《まじ》えて、小泉明日香の顔を覗《のぞ》き見る。小泉明日香が祐貴の方を見ることは一度もないので、目をあわせるような心配はなかった。それ故《ゆえ》、祐貴は歯痒《はがゆ》い。

今も鞄を動かして、そこで自分の『特別』の象徴《しょうちょう》を思い出す。昨日《きのう》までの自分と違《ちが》うことを意識《いしき》して、祐貴は意を決した。反転して、小泉明日香のいる方に向き直った。

手すりを摑み直して、背中を向けてばかりだった自分と決別するように、祐貴が胸を張る。正面の窓《まど》ガラスには車内の様子《ようす》が映り、祐貴と小泉明日香も一緒《いっしょ》に収まっていた。たったそれだけで、祐貴の自尊心《じそんしん》は満たされる。拳銃の力だと、誇《ほこ》らしく感じていた。

地下鉄から降りた小泉明日香は早歩きで地上を目指す。祐貴は人の流れに押されるような形を装《よそお》いながら、その背中を急いで追いかけた。これもいつものことだった。そして金時計の周辺《しゅうへん》で小泉明日香を見送ることしかできなくなる。それが今の祐貴と、彼女の距離だった。

祐貴は、小泉明日香がなぜ急ぐのかその理由も知っている。他校の彼氏《かれし》との待《ま》ち合わせに間に合わせるためだった。相手《あいて》の名は吉上俊吾《よしがみしゅんご》といって、祐貴たちと同じ小学校に通っていた、元同級生《もとどうきゅうせい》だ。そして祐貴の最初の友人で、その才能《さいのう》を開花させた者の一人だった。

改札《かいさつ》を通り、桜通線《さくらどおりせん》から上がってすぐの入り口を抜けて金時計が見えてくる。小泉明日香は首を振って、まだ待ち人がいないことを確かめてから立ち止まる。丁度《ちょうど》、２Ｆの足場《あしば》の影に当たる場所に立ったまま、乱《みだ》れた前髪《まえがみ》や制服を丁寧《ていねい》に直し始めた。

いつもの祐貴《ゆうき》なら、そこまで見届けてから早歩きで金時計を通過《つうか》して、離《はな》れる。吉上俊吾《よしがみしゅんご》が来る前に、喪失感《そうしつかん》を味わいながら帰路《きろ》に就《つ》く。だが、今の自分はそこで踏《ふ》みとどまれるはずだと、祐貴が握《にぎ》りこぶしを作る。思い込みは祐貴に強い効果《こうか》を与えて、現実にその結果を生んだ。

過去《かこ》は祐貴にとって夢幻《むげん》である。しかしそれはあくまで祐貴からすれば、である。

六歳《さい》の子供の一日と、八十歳の老人の同じ一日でも体感時間が異《こと》なるように。

時間に対する認識《にんしき》は人それぞれ、大きく異なる。

相手がなにをどう思っているかは、触《ふ》れてみるまで分からない。

小泉明日香《こいずみあすか》にとってもまた、祐貴は忘れがたい過去としてあるのかもしれない。

そんな都合《つごう》のいい希望に縋《すが》りながら、祐貴はどんどんと前向きになって、歩《ほ》を進める。

今の自分ならなにかを変えられる気がしていた。

なにかが、これで始まるような。

とんでもなく、人生が変わるような。

根拠《こんきょ》のない予感に吸い寄せられる。

陶酔感《とうすいかん》による目眩《めまい》さえ引き起こすほど、祐貴は高揚《こうよう》していた。足を動かす感覚がない。一歩進む度《たび》に身体《からだ》の溶けそうな錯覚《さっかく》に陥《おちい》りながら、小泉明日香との距離《きょり》を詰《つ》めていく。

昔《むかし》みたいに側にいてやれるようになれば、必《かなら》ず守れる。

吉上俊吾にできないことが、俺にはできる。

だから、と祐貴がなけなしの度胸《どきょう》を震《ふる》えそうな踵《かかと》に込める。

小泉明日香は携帯《けいたい》電話を弄《いじ》って祐貴に気づいていない。祐貴は、自分が番号すら聞けなかったその電話を羨《うらや》みながら、心臓《しんぞう》を叩《たた》く。鼓舞《こぶ》して、高鳴るそれに頭痛《ずつう》まで植えつけられながら、彼女の前に立つ。それが何年越《ご》しの行為《こうい》で、どういった感慨《かんがい》があるかも、判然《はんぜん》としないまま。

「あ、あの、さ」

気《き》の利いたことも言えず、妙《みょう》な呼びかけとなる。小泉明日香は顔を上げて、祐貴を正面から見つめる。その目に一瞬《いっしゅん》、嫌悪《けんお》や忌避《きひ》めいたものが宿《やど》ったことを祐貴は気づかない。

祐貴にも分かりやすい『打ちのめし』は、言葉《ことば》という形で訪れた。

「首藤《しゅとう》くん」

祐貴の果《は》てのない興奮《こうふん》は、そこで無惨《むざん》にも潰《つい》える。

小泉明日香のたった一言《ひとこと》で、目の前の眩《まばゆ》さが全《すべ》て失われて、乾燥《かんそう》した現実が立ち塞《ふさ》がる。

過去のあだ名を想定していた祐貴にとって、この不意打ちは完璧《かんぺき》だった。

その呼び方の移り変わりに、祐貴は自然と卑屈《ひくつ》な笑いを浮かべた。

花咲太郎

ケーキを購入《こうにゅう》してからタカシマヤの1Fに上がった太郎《たろう》は、エレベーター乗り場の前を通って外へ出ようとする。入り口の脇《わき》は婦人用《ふじんよう》の帽子《ぼうし》売り場だったが、その中の一つに太郎の目が留《と》まる。手足の青いマネキンにかけられたそれは、おとぎ話の魔女《まじょ》が被《かぶ》っているような三角帽子だった。水色で、長時間飾《かざ》られているせいか三角の先端《せんたん》がへたれている。萎《しお》れて枯《か》れる寸前《すんぜん》の花とその茎《くき》にも見えた。

「マジでこんな帽子売ってるんだな」

そんな感想を口にしながら、太郎が外に出る。目の前には金時計があり、待《ま》ち合わせの学生が数多くいて携帯《けいたい》電話を弄《いじ》っている。中には緊迫《きんぱく》した雰囲気《ふんいき》の男女もいたが、太郎はそれを一《いち》瞥《べつ》するだけで格別の注意《ちゅうい》は払《はら》わない。

携帯電話のカメラで「パシャリ」と自分たちを撮《と》っているカップルの横をすり抜けて、太郎が人の流れに紛れる。歩きながら、今見かけた帽子から連想する人物について考えを巡《めぐ》らす。

口に出すと人に笑われるか、少し距離《きょり》を置かれてしまう仕事に就《つ》くその男と、ちょっとしたきっかけで知り合って以来、なぜか友人のように振る舞《ま》われてしまっている。太郎としては友人だと意識していないのだが、あちらからは探偵《たんてい》という職業《しょくぎょう》の物珍《ものめずら》しさもあってか、すっかり友人扱《あつか》いだった。馴《な》れ馴れしいこととその仕事内容以外は、太郎も認めてはいるのだが。

「殺し屋の友人なんて、いても困るわけだ」

黒田雪路

土産物屋《みやげものや》を覗《のぞ》いていた黒田《くろだ》は、「赤福《あかふく》ってまだ売ってんだよなぁ」と呟《つぶや》く。薄《うす》ピンクの包装《ほうそう》が目を惹《ひ》く包みを手に取り、裏返《うらがえ》して商品情報《しょうひんじょうほう》を確かめる。しかし単《たん》なる冷やかしらしく、すぐに棚《たな》に戻して土産物屋の前を離《はな》れた。実家《じっか》にいた頃《ころ》ならともかく、一人では賞味期限《しょうみきげん》の切れる前に食べきれない。そうした理由で買うのをためらうものが多くなったことを、黒田は実感する。職業柄《しょくぎょうがら》、結婚《けっこん》の予定はないが時々は人恋《ひとこい》しくなる。黒田は他の同業者《どうぎょうしゃ》ほど割り切れず、あくまで一般人《いっぱんじん》に近い。

「女性の殺し屋と出会いでもあったら……あ、いるわ」

黒田が苦々《にがにが》しそうに頭を掻《か》く。その人物を思い出すこと自体が苦痛《くつう》のように顔が歪《ゆが》む。人前でなかったら独《ひと》り言《ごと》で罵《ののし》り始めそうな、溜《た》め込んだなにかが黒田の口を膨《ふく》れさせる。胸《むね》に手を添《そ》えながらそれを慎重《しんちょう》に呑《の》みこんで、代わりに黒田が「あ」と指を鳴らす。

「そうだ、秘書《ひしょ》。いや、所員がいる」

自分が外へ出ている間、誰《だれ》か雇《やと》って事務所に置いておく必要《ひつよう》があることに、黒田が今更《いまさら》気づく。気軽に募集《ぼしゅう》でもできないなと考えて先延《さきの》ばしにしていて、そのまま忘れてしまったのだ。

職種《しょくしゅ》の関係上、事情を把握《はあく》している人間しか雇《やと》えない。そうした人間を紹介《しょうかい》してもらうツテが一つしかない黒田は、その知り合いに頼《たの》もうと携帯《けいたい》電話を操作《そうさ》する。桜通線《さくらどおりせん》へ通じる入り口の隅《すみ》に陣取《じんど》ってアドレス帳《ちょう》を検索《けんさく》していると、その相手《あいて》から電話がかかってきた。

「お、空気の読めるやつだな」

通話ボタンを押して、黒田が機嫌《きげん》良く電話に出た。耳もとに野太《のぶと》い男の声が聞こえてくる。

『よぅ』

「おぅ」

『仕事の調子《ちょうし》はどうだ?』

「開業初日に依頼《いらい》が舞《ま》いこんできたよ。しかも依頼主《ぬし》は謎《なぞ》の美女と来た」

『そりゃよかったな。で、用事だけど。なんかな、聞いてくれって頼まれてさ』

「なにを? それと誰に?」

『銃《じゅう》の販売担当《はんばいたんとう》のやつに。昨日《きのう》、お前に売った銃が本物かどうか確かめてほしいんだって』

「はぁ?」

素《す》っ頓狂《とんきょう》な裏返《うらがえ》った声は思いの外《ほか》大きく、側《そば》を歩いていた老人が黒田に振り向く。

『あ、他言無用《たごんむよう》らしいぞ』

「らしいって、えらく軽々しいな」

通話している男にとってはどうでもいいことだからだろうと、黒田《くろだ》は察する。

しかし黒田としては他人事《ひとごと》にしきれない話題である。

『なんでも、昨日《きのう》売った拳銃《けんじゅう》を一つ、モデルガンと間違《まち》えて売ったらしくてな』

「……アホだなー、あいつ。上役《うわやく》にバレたらお仕置きだろ」

売りに来た冴《さ》えない男の顔を思い出して、黒田が呆《あき》れる。

『だから他の人に言うなってことだろう。人はどこで繋《つな》がってるか分からんからな』

「俺のは本物だと思うぞ。まぁ昨日まで開業準備で慌《あわ》ただしくて、確認《かくにん》してないけど」

『杜撰《ずさん》なやつだな。とにかく調べてみろよ』

「今は手元《てもと》にない。戻ったら確かめる」

『分かった。用件《ようけん》はそれだけだ、じゃあな』

「待《ま》った、こっちも用がある。長良川《ながらがわ》と相似点《そうじてん》の一切《いっさい》がないような美人秘書《びじんひしょ》を雇《やと》いたいわけだが……」

人差し指を立てながら、楽しげな黒田が用件を切り出す。

先程《さきほど》思い出した、『ヘドの出そうな殺し屋』と対極《たいきょく》の人材《じんざい》を思い描《えが》き、夢《ゆめ》を語る。

時本美鈴

空《あ》いたマッサージチェアに腰《こし》かけていた美《み》鈴《すず》が駅《えき》の方へと逃げてきたのは、あの『なんとかこん』が入ってきたからだった。辟易《へきえき》した、不機嫌《ふきげん》そうな顔つきで駅の外から入ってきた緑《みどり》帽子《ぼうし》の男に見つかってはいけないと美鈴のなにかが訴《うった》えて、予定より少し早く構内へと向かうことになってしまった。その男も美鈴と同じ方角へ歩いて、デパ地下に続くエスカレーターに乗って消えていったことでようやくホッと息《いき》を吐《つ》いた。美鈴も自分のことは棚《たな》に上げて、人並みに変態《へんたい》に危険を感じる。「あやしー」と、男への警戒《けいかい》を一言《ひとこと》で表した。

タカシマヤの入り口付近《ふきん》の壁《かべ》に張りついて、美鈴が周囲《しゅうい》を探《さぐ》る。小泉明日香《こいずみあすか》はまだ姿を現していない。地下鉄の方にも目をやるが、まだ下車した集団がやってくる時間ではなかった。

その時が訪れるまで、人の流れに目をやりながら美鈴が壁際《かべぎわ》で待《ま》つ。そうしていると、周《しゅう》囲《い》からは独《ひと》りぼっちの小学生として、物寂《ものさび》しい印象《いんしょう》があった。だが美鈴の内心《ないしん》は酷《ひど》く昂《たか》ぶり、大人しく立っていることさえ辛《つら》い。その場でゆっくり足踏《ぶ》みをして、それを地面へと少しずつ、アースのように流して押さえている。美鈴の抱《かか》えきれないほどのわくわくは、その目もキラキラと輝《かがや》かせている。顔つきだけを見れば、その純粋《じゅんすい》さに誰《だれ》もが微笑《ほほえ》ましくなるほどだった。

頭に土汚れのめだつタオルを巻いた男や、さっきの『なんとかこん』も1Fへと上がってきて、美鈴《みすず》の前を通りすぎていく。美鈴はそうした無数の人の中で、取り分け目で追うのは大人の男性だった。現在《げんざい》、美鈴の家には父親がいない。意識していないが自然、その影響《えいきょう》があった。

それから程《ほど》なくして、美鈴に歓喜《かんき》の時間が訪れる。

美鈴の調べた『普段《ふだん》』よりも少しだけ早く、小泉明日香《こいずみあすか》が金時計の周辺《しゅうへん》にやってきた。

それを見た途端《とたん》、美鈴が狂喜《きょうき》した。ランドセルの肩の部分を強く握《にぎ》って、にまぁ、と口もとがだらしなく緩《ゆる》む。小泉明日香は後からやってきた男子高校生と会話しているようだが、美鈴の目にそちらは入っていない。小泉明日香の顔を憎《にく》し、憎しと睨《にら》んで、喜《よろこ》びと憎悪《ぞうお》が上と下でくっきり別れた歪《いびつ》な顔つきとなっていた。

美鈴は今すぐにでも小泉明日香を撃《う》ち抜きたかったが、周囲《しゅうい》の人通りがそれを許さない。これだけの目が動いている場所で撃って、見咎《みとが》められないはずがない。隠《かく》れられる場所を事前に調べてみたが、どうしても見つからなかった。しかし、美鈴には策《さく》がある。エスカレーターへと走って2Fに向かった。待っているのももどかしく、エスカレーターも駆《か》け足で上った。

2Fに行って、青いタオルを巻いた女性とすれ違《ちが》いながら美鈴がその場所に飛びつく。金時計や下の様子《ようす》を一望《いちぼう》できる、足もとがガラス張りの場所だ。そこの手すり付近から身体《からだ》を出すと、丁度《ちょうど》、小泉明日香が真下《ました》に立っているのが覗《のぞ》ける。角度は変わっているが、距離《きょり》はそこまで離《はな》れていない。銃《じゅう》の素人《しろうと》である美鈴でも狙《ねら》うことが可能《かのう》な高さだ。

小泉明日香を真上《まうえ》から撃ち抜ける、面白《おもしろ》い位置だった。

「頭に綺麗《きれい》に当たれば死ぬよね」

その小泉明日香の周囲には更《さら》に男子高校生が増えて、小競《こぜ》り合いが起きている。しかし美鈴にはまったく関係のないことで、むしろ小泉明日香が動かない分、狙いやすくてありがたいだけだった。

美鈴がランドセルの中へと手を入れて、教科書とノートの間にしまったはずの拳銃《けんじゅう》を探《さが》した。

気分の高揚《こうよう》と共《とも》に、美鈴が「あった」とそれを人目《ひとめ》など無視《むし》して勢《いきお》い良く引き抜く。

「…………………………」

給食袋《きゅうしょくぶくろ》だった。細長い箸入《はしい》れの先端《せんたん》が、小泉明日香を狙い澄《す》ました。

岩谷カナ

「あんた、幸運《こううん》の招《まね》き猫《ねこ》かもしれないね」

「はぁ」

やる気なさそうに突《つ》っ立っているだけのカナが過剰《かじょう》に評価《ひょうか》されて、頬《ほお》を掻《か》く。半分はお世《せ》辞《じ》だろうが、人に褒《ほ》められてカナとしては気分が落ちこむ。自分を高く評価していないので、それをどうにも嘘《うそ》と感じてしまう傾向《けいこう》があった。

猫にされたり犬《いぬ》にされたり、忙《いそが》しいな。そうぼやきながら、先程《さきほど》の客の豪華《ごうか》な買い方を思い出す。額《ひたい》を叩《たた》かれてからすぐ、黄土《おうど》色《いろ》の小汚い野球帽《やきゅうぼう》を被《かぶ》った男が次の客としてやってきた。客の陰口《かげぐち》を叩くのはよくないことだが、華《はな》やかなデパ地下の雰囲気《ふんいき》とまるで合致《がっち》していない、黒い毛玉《けだま》のような雰囲気だった。その男が、黒い陶器《とうき》に入れて売られている最高級のプリンをありったけ買っていったのだった。更《さら》に持ち歩きの時間も『できるだけ』と注文《ちゅうもん》して、保冷《ほれい》剤《ざい》を使い尽《つ》くす勢《いきお》いで詰《つ》めることになった。

売り子も、それだけ一遍《いっぺん》に売れたのは初めてだと未《いま》だに驚《おどろ》きが後を引いている。

「幸運があるなら、あたしも幸《しあわ》せになっていいはずなんですけどねー」

「いい友達がいるんだ、十分《じゅうぶん》幸せじゃないの」

売り子がカナの肩を叩く。柱《はしら》を中心に、ショーケースがLの字を描《えが》いて繋《つな》がっている洋菓子《ようがし》屋《や》の方へと倒《たお》れそうになるが、踏《ふ》み留《とど》まる。そちらはスイートポテト専門の店だった。カナとしてはプリンよりも、芋菓子《いもがし》の方が心惹《ひ》かれた。きつね色に焼き上がった芋菓子に、溢《あふ》れるツバを飲みこむ。

「あんたまだ学生なんだって？　浪人《ろうにん》したの？」

履歴書《りれきしょ》の年齢《ねんれい》の部分と照《て》らし合わせながら、売り子がカナに質問《しつもん》する。大学の面接《めんせつ》を受けている気分で、カナが「そんな感じです」と萎《い》縮《しゅく》しながら頷《うなず》く。実際は浪人ではなく留年《りゅうねん》なのだが、詳細《しょうさい》を説明したところで『今どきの若い子は』と呆《あき》れられるだけだとカナは思った。

それよりもカナとしては、売り子が喜《よろこ》んでいる内に退散《たいさん》を試《こころ》みたかった。

明日から働《はたら》くのだから、今日はもう帰っていいだろうという心境《しんきょう》だった。ほら、髪《かみ》切って服買って、がんばったし。靴《くつ》ずれで踵《かかと》痛いし。カナ自身《じしん》にしか通用しない言い訳《わけ》が積まれる。

「あ、そういえば今日、実家《じっか》から郵便《ゆうびん》のなにかが届くんだった」

カナの唐突《とうとつ》な言い分は白々《しらじら》しく、売り子もまるで騙《だま》される様子《ようす》がない。しかし、カナの希望を否定《ひてい》することはなかった。一日の売り上げが跳《は》ね上がったことに気を良くしたことも、理由としてあるのかもしれなかった。

「帰りたかったら今日はもういいよ。いても給料《きゅうりょう》払《はら》わないからね」

「お疲《つか》れ様でーす」

給料云々《うんぬん》を省《はぶ》いても、カナとしては帰っていいなら迷《まよ》う余地《よち》がない。その喜《よろこ》びように、売り子が思わず噴《ふ》き出してしまうほどだ。いい歳《とし》しながら両手を上げて走るカナは、体格《たいかく》もあってか不思議《ふしぎ》とそれを許される雰囲気《ふんいき》の持ち主《ぬし》だった。

「明日は寝坊《ねぼう》して遅刻《ちこく》するんじゃないよ」

カナの緩《ゆる》い顔と目の下のクマから、一番あり得そうな問題に釘《くぎ》を刺《さ》す。カナはそう言われて、自身《じしん》が昨日《きのう》から一睡《いっすい》もしていないことをそこで思い出す。途端《とたん》、眠気に襲《おそ》われて目がしょぼつく。その目を擦《こす》りながら、「わっかりましたー」と口だけ調子《ちょうし》がよかった。

中年の売り子はそうしたカナの勤務態度《きんむたいど》に不安を隠《かく》しきれないものの、そこに追随《ついずい》してカナへの嫌悪感《けんおかん》が湧《わ》かないようだった。それがカナの人懐《なつ》っこい容姿《ようし》にあると思ってか、売り子が遠い目で評《ひょう》する。

「若いっていいわね」

「おっすっす」

その若さをこうしてムダに消費《しょうひ》していく最後に、自分に残るものはなんだろう。

柄《がら》にもなく深刻《しんこく》な悩《なや》みがふと脳裏《のうり》をよぎり、カナは二の腕《うで》に鳥肌《とりはだ》を立てた。

首藤祐貴

「えっと、なに？」

小泉《こいずみ》明日香《あすか》の二言目《ふたことめ》は、淡々《たんたん》と素《そ》っ気《け》ない。久方《ひさかた》ぶりに祐貴《ゆうき》が声をかけてきたことへの驚《おどろ》きもなかった。祐貴はその無風《むふう》な対応に、去勢《きょせい》されたように勢《いきお》いを失う。無意識《むいしき》に後退《こうたい》した右足が、せっかく縮《ちぢ》めた距離《きょり》をまた広げてしまう。

「あ、え、なんにも。でもえっと家近いし、いや、知っている、顔、だし」

しどろもどろで視界《しかい》の端《はし》が白く染《そ》まっていく祐貴に対し、小泉明日香が冷静《れいせい》に溜息《ためいき》を吐《つ》く。

そして、溜めていたであろうそれを祐貴にぶつけた。

「知ってるよ、いつも見てるの」

祐貴の息《いき》が止まる。乱《みだ》れて、吐《は》きかけた空気がまだ喉《のど》に押し込まれる。その影響《えいきょう》で派手《はで》に噎《む》せながら、筒抜《つつぬ》けだったことに頭が異様《いよう》な熱を帯びる。頬《ほお》も真《ま》っ赤《か》で、目の前が益々《ますます》白む。

正面から見た小泉明日香の美しさは変わらない。しかし、祐貴に投げかける声は驚くほど硬《こう》質《しつ》なものとなっている。小泉明日香の本質《ほんしつ》の柔《やわ》らかさは変わらない。

ただ、言葉《ことば》が凍《こお》っているのだ。関係同様《どうよう》、凍りついて。

「首藤《しゅとう》くんは、私になにを望んでるの？」

小泉明日香《こいずみあすか》は困《こま》り顔だった。祐貴《ゆうき》の願いや思いなど、なにも伝《つた》わっていないように。言葉にしない思いなど伝わるはずがなく、それを理解してもらおうなどというのは甘《あま》えにすぎない。

祐貴はそれを上《うわ》っ面《つら》だけ理解していながらも、結局は、その無言《むごん》の繋《つな》がりに期待していた。

だが。

「いつも追いかけられて迷惑《めいわく》、というか怖い……感じ。だから」

小泉明日香が言葉を選んで、祐貴の『気味《きみ》悪さ』を指摘《してき》した。

祐貴は更《さら》なる熱に侵《おか》されて、目の前になにも見ることがないまま早口《はやくち》で訴《うった》える。

「守らないといけないからさ、ほら、危険なんだ。俺は知ってるんだ、お前が危ないの。だから見えてないと、困るみたいな。あの、好《す》きっていうか、いやでも、あれじゃん。別に深い意味とかはなくて、ただ、ついてくぜー、みたいなさ！　なぁ、あの、な」

自分だけが知っている秘密《ひみつ》、使命《しめい》を言い訳《わけ》にする。未練《みれん》を持って追いかけ回していたことにはちゃんと理由があるのだと理解してほしくて、祐貴が気持ち悪く一方的に弁解《べんかい》する。

それが致命的《ちめいてき》な一手《いって》であると気づいた頃《ころ》には、世界は冷めきっていた。

小泉明日香は祐貴から目を逸《そ》らして、周囲《しゅうい》に助けを求めるような視線《しせん》を送っている。

祐貴はもう、なにかを言うことも、顔を上げることもできなかった。

『特別』のまやかしが取り払《はら》われて、祐貴の目に涙《なみだ》がにじむ。人前で泣けない思春期《ししゅんき》の自意《じい》識《しき》が辛《かろ》うじてそれを制しているが、我慢《がまん》することで肩が微細《びさい》に震《ふる》える。

小泉明日香の目は、そうした祐貴の反応《はんのう》さえもどこか、得体《えたい》が知れなくて怯《おび》えるようだった。

二人が沈痛《ちんつう》な空気に蝕《むしば》まれる中、走ってやってきた吉上俊吾《よしがみしゅんご》が、小泉明日香の前に立つ男に眉根《まゆね》を寄せた。回りこんで小泉明日香を守るように立ちながら、その顔を覗《のぞ》く。

「祐貴じゃん」

精彩《せいさい》のない祐貴の顔を見て、少し警戒《けいかい》を解《と》く。顔馴染《かおなじ》みだったからだろう。

しかし、祐貴はそれに応《こた》える心の隙間《すきま》がない。

小泉明日香の拒絶《きょぜつ》でいっぱいだった。

高揚《こうよう》から生まれたはずの頭痛《ずつう》が、今ではまったく別の要因《よういん》から祐貴を苛《さいな》む。

二人の顔を交互《こうご》に見比《みくら》べて、吉上俊吾がただならぬ雰囲気《ふんいき》に首を傾《かし》げた。

「お前ら仲良《なかよ》かったの？」

悪意《あくい》なく、そんな疑問を口にする。祐貴の肩がびくりと跳《は》ねる。

その過去形《かこけい》に、現実を断ち切られる思いだった。祐貴の喉《のど》が詰《つ》まり、なにも言えなくなる。

その間に、小泉明日香が力強く否定《ひてい》した。彼氏《かれし》に誤解《ごかい》されないようにと、きっぱり。

「ううん、別に」

あったはずの過去さえも否定して、小泉明日香は吉上俊吾の隣《となり》へと並ぶ。

吉上俊吾《よしがみしゆんご》は祐貴《ゆうき》を一瞥《いちべつ》したが、すぐに小泉明日香《こいずみあすか》の方にだけ関心が集《つど》った。

一歩離《いつぽはな》れれば二人とも、祐貴になど既《すで》になんの意識《いしき》もない。二人ともお互《たが》いを見るのに精一杯《せいいつぱい》で、笑顔《えがお》に夢中《むちゆう》だった。祐貴にかまけるほど退屈《たいくつ》ではないし、その価値《かち》もなかった。

首藤祐貴は小泉明日香にとって、夢《ゆめ》ですらなかったのだ。

一方的な思慕《しぼ》、期待、それらすべてがたったの数分で裏切《うらぎ》られる。応《こた》えはない。祐貴が仄《ほの》かに感じようとしていた繋《つな》がりなど微塵《みじん》もなく、あるのは視線《しせん》に追われることへの『気持ち悪さ』だった。賭《か》けるべき可能性《かのうせい》も、なにもない。とっくに終わっていたのだ、なにもかも。

祐貴の脱力《だつりよく》は途方《とほう》もなく長く感じられた。しかし、震《ふる》える瞳《ひとみ》をぎょろつかせればすぐ側に、二つの背中がある。のんびりと、幸《しあわ》せを引き伸ばすように二人は慌《あわ》てていなかった。

まだ、届く。

祐貴の目が濁《にご》り、震えが収《おさ》まる。とても低空に、悪い位置に据《す》わることで。

「そうか」

祐貴の口から出るのは、短い納得《なつとく》。の、フリ。

「そうだなぁ」

一繋ぎの感情は裏返《うらがえ》り、御《ぎよ》しきれないほどの憎悪《ぞうお》に至《いた》る。

そして最悪《さいあく》な取り合わせとして、祐貴には。

緑川円子

「では明日からよろしくお願いします」

丁寧《ていねい》な物腰《ものごし》で深々と頭を下げるのは、弟子《でし》の新城《しんじょう》の方だった。肝心《かんじん》の緑川《みどりかわ》は頭こそ下げるものの、口を開こうとしない。格好《かっこう》を除《のぞ》けばこちらの方がよほど付き人のようだった。

個展担当者《こてんたんとうしゃ》への挨拶《あいさつ》を兼《か》ねて駅《えき》２Ｆの会場を訪れると、事前に手配して送った壺《つぼ》や陶器《とうき》が並べ終わっていた。緑川も希薄《きはく》ではあるが感激しているらしく、普段《ふだん》より気持ち目が輝《かがや》いていた。

担当する女性との社交辞令的《しゃこうじれいてき》な世間話を、主《おも》に新城がほとんど請《う》け負《お》う。女性の方も美形な長身《ちょうしん》の弟子の方が話は弾《はず》むようだ。緑川は黙《だま》って、話の合間に適当《てきとう》に頷《うなず》いていた。

気《き》の利いたことなど言えない朴念仁《ぼくねんじん》な自分を、緑川はよく理解していた。

挨拶だけであったが思いの外《ほか》、長々と話が続いてしまい、緑川の退屈《たいくつ》も長引いた。

女性店員が最後に大きく頭を下げて、「明日からよろしくお願いします」と挨拶で締《し》めてようやく、解放される。隣《となり》に並ぶ新城は、緑川の心情《しんじょう》を察してか笑顔《えがお》で謝《あやま》った。

「長くなってすいません」

緑川は仕事である以上その退屈を認めることはできず、「別に」とお茶を濁《にご》した。その後、「助かる」と短い感謝を伝えた。新城が、「悪い気はしないな」と横を向いて呟《つぶや》いた。

「こんな大きい会場は初めてですか？」

「そう」

緑川が勢い良く頷く。新城も今回の『そう』は微笑《ほほえ》ましく受け止める。二人で駅の2Fを歩きながら、一際《ひときわ》めだつ金時計とその周辺《しゅうへん》を見下ろす。いつ見てもその周辺には人が溢《あふ》れる。今は丁度《ちょうど》、下校時間と重なっているためか学生服の若者が多く見られた。

他には珍《めずら》しいところで、青いランドセルを背負《せお》った小学生が2Fへと上がってきていた。その女の子と緑川、傍《はた》から見て上機嫌《じょうきげん》な二人がすれ違《ちが》う。

「あの時計、待《ま》ち合わせのメッカらしいですね」

「そう？　うん、多分《たぶん》そう。知らなかったの？」

新城の発言に緑川が意外な目を向けた。名古屋駅《なごやえき》を利用する者にとっては常識《じょうしき》だったからだ。

「地元《じもと》ではないので」

「出身《しゅっしん》どこ？」

緑川にしては珍しく、問答《もんどう》が続く。新城はその上機嫌な緑川を、新鮮《しんせん》な目で見る。

「埼玉《さいたま》です。海もないところですよ」

新城が田舎《いなか》であることを強調《きょうちょう》する。新城もまた、自《みずか》らのことを語るのは稀《まれ》だった。今日の仕事もすべて終わり、後は帰るだけということもあって互《たが》いに気が緩《ゆる》む部分もあった。

「師匠《ししょう》もよく利用されたのですか？　待《ま》ち合わせ」

新城《しんじょう》が手すりに寄りかかり、下を指差す。緑川《みどりかわ》も1Fを覗《のぞ》きこみながら、それに答える。

「人と待ち合わせることがなかったから」

「師匠らしいですね」

「そう？」

「ええ、そういうところが」

まるでバカにされるような返事に、緑川がムッと唇《くちびる》を尖《とが》らせる。待ち合わせしなかったのは家が山の方にあり、自転車を長々とこがないといけないこともあって時間が遅《おそ》くなると山道が危険だから、友人と遊んでいる暇《ひま》がなかったのだと緑川としては主張《しゅちょう》したかったが、口べたが災《わざわ》いして舌《した》が回らない。要点《ようてん》だけを上《う》手《ま》く掻《か》い摘《つま》んで説明できる自信もなく、結局は黙《だま》ることで新城の言い分を認めることになる。新城は、なにか言いたげに唇が尖って、ひっこんでを繰《く》り返す緑川の顔を覗きこんで、明《あき》らかに面白《おもしろ》がっていた。

「言い分は夕飯《ゆうめし》のときにでもゆっくり聞きますよ。さ、帰りましょう」

新城が緑川の肩と背中を押す。力こそ加減《かげん》しているが、どこか慌《あわ》てている印象《いんしょう》をその手のひらから受けて、緑川は「似合《にあ》わない」と断じた。新城の優男面《やさおとこづら》とまったくあっていないのだ。

エスカレーターの手前まで来ると新城が当然のように前に出て、先に乗る。この男は歩道を歩く際《さい》も必《かなら》ず車道の側に移動する。そうした気遣《きづか》いまで怪《あや》しく見える笑顔《えがお》を訝《いぶか》しみながら、緑川も1Fの金時計周辺《しゅうへん》へと下るエスカレーターに足をかける。

その先になにが待つのか、想像《そうぞう》できるはずもないまま。

祐貴は歯を食いしばりすぎて次々に欠けていく。

祐貴《ゆうき》の殺意を支えるのは嫉妬《しっと》。

吉《よし》上《がみ》俊《しゅん》吾《ご》はまだなにも気づかず

最高の気分だ。

頭の中は熱くて

目玉は真っ白

祐貴は混ざりっ気のない殺意を滾《たぎ》らせて拳銃《けんじゅう》を構えた。

気づけば

気持ちが渦《うず》を巻いていた。

気分は最悪《さいあく》に近くて吐《は》き気《け》も酷《ひど》い。

小《こ》泉《いずみ》明日香《あすか》も首藤《しゅとう》の手にした『特別』には気づいていない。一度でも気にかけて振り向いていれば

その凶《きょう》器《き》に気づけたのだろう

しかし彼女に罪《つみ》はない。それは罪ではなく

ことを選んだ以上、誰《だれ》を恨《うら》むこともできない。

彼女の選《せん》択《たく》した生きざまなのだ。振りむかない。

だから殺してやる殺してやる殺してやる殺してやる殺してやる殺してやる殺してやる殺してやる殺してやる

黒田《くろだ》雪路《ゆきじ》は地下鉄、桜通線《さくらどおりせん》へ通じる入り口付近で電話しながら、ふと振り返った。

岩谷《いわや》カナはタカシマヤの地下からエスカレーターで上がってきたところだった。

時本《ときもと》美《み》鈴《すず》は今まさにランドセルから今度こそ、拳銃《けんじゅう》を引っ張り出そうとして。

花咲《はなさき》太郎《たろう》は買ったケーキが潰《つぶ》れないよう気を遣《つか》いながら、構内を歩き。

緑川円子《みどりかわえんじ》は弟子《でし》と共《とも》に、駅《えき》の2Fからエ・スカレーターで下りている最中《さいちゅう》に。

首藤祐貴《しゅとうゆうき》が、拳銃の引き金を引いた。

緑川円子

真《ま》っ先に反応したのは新城雅貴《しんじょうまさき》だった。緑川《みどりかわ》を庇《かば》うような姿勢のまま、懐《ふところ》に手を入れる。緑川はその動きによって目の前を塞《ふさ》がれて、知ることができたのは銃声《じゅうせい》だけだった。

聞き慣《な》れない破裂音《はれつおん》。緑川は最初、誰《だれ》かがクラッカーの紐《ひも》を引いたかと考えていた。しかし直後の悲鳴が渦《うず》を巻き、阿鼻叫喚《あびきょうかん》に相応《ふさわ》しい騒《さわ》ぎが始まったことでその暢気《のんき》さを捨てる。しかし事態《じたい》を確認《かくにん》しようとしても、新城がそれを遮《さえぎ》る。背は高くとも細身《ほそみ》である新城のどこにそんな力が蓄《たくわ》えられているのか、押してもビクともしない。むしろ緑川の背中が激しく押された。エスカレーターで運ばれていた後ろの男が、慌《あわ》てて逃げ出そうと駆《か》け下りたのがきっかけで、全員が激しく動き出したのだ。動こうとしない緑川は邪魔《じゃま》だとばかりに突《つ》き飛ばされそうになる。下へ転がり落ちそうになるが、新城の背中に寄りかかることで事なきを得《え》る。

新城もすぐにそれを察して、緑川を抱きかかえてエスカレーターの手すりを跨《また》ぐようにして飛び降りた。その急激《きゅうげき》な落下に、緑川の目が回る。新城の腕《うで》に縋《すが》るように抱きつき、遊園地《ゆうえんち》のアトラクションに振り回されるような気分を味わう。新城は足を挫《くじ》くことなく着地して、迷《まよ》わず桜通線《さくらどおりせん》の入り口へと駆《か》ける。そのまま緑川を引っ張って、いの一番に混迷《こんめい》から離脱《りだつ》した。

花咲太郎

その音にびくりと飛び跳《は》ねて、危うくケーキを落としかけた。落下している最中《さいちゅう》になんとか摑《つか》み直すのとほぼ同時に、地響《じひび》きが起きる。大勢の人間が一斉《いっせい》に、金時計の周辺《しゅうへん》から逃げようと動き出していた。その波《なみ》に太郎《たろう》も巻き込まれそうになる。

正面から、避《さ》けようのない人の群《む》れが迫《せま》り来ていた。野次馬《やじうま》に残ろうとする少数派の背中を蹴《け》り飛ばすように、金時計の下に立つ高校生たちに注目《ちゅうもく》しつつも人が波紋《はもん》を描《えが》く。

海面に浮かぶ木《き》っ端《ぱし》のように翻弄《ほんろう》されては敵《かな》わないと、太郎は壁際《かべぎわ》へと背走《はいそう》する。間一髪《かんいっぱつ》でその波から逃れて、タカシマヤのガラスに頭部を鈍《にぶ》く打ちつけた。だが痛がっている暇《ひま》はない。

銃声《じゅうせい》の出所《でどころ》と結末を見届けようと、申《もう》し訳程度《わけていど》の壁としてジュラルミンケースを顔と胴体《どうたい》の前に構えながら、太郎が金時計の方へと目を凝《こ》らした。

そこで見たのは、自分の持つ紙で作られた玩具《おもちゃ》にそっくりの拳銃《けんじゅう》を持つ高校生だった。

時本美鈴

どうなっているのだ、と目を疑った。

美鈴《みすず》はまだなにもしていない。それなのに小泉明日香《こいずみあすか》の側を弾丸《だんがん》が飛び、事態《じたい》は一気《いっき》に動いてしまう。美鈴が行うはずだった部分に勝手に介入《かいにゅう》して、結果をかっさらってしまう。

小泉明日香の隣《となり》を歩いていた高校生が、踊《おど》るように倒《たお》れた。腹部《ふくぶ》を弾《たま》が貫通《かんつう》したらしく、びゅっ、びゅびゅっと血が噴《ふ》き出て構内の床《ゆか》に血溜《ちだ》まりが生まれる。血が流れる度《たび》に高校生の身体《からだ》がびくんびくんと跳《は》ねる。小泉明日香は銃声に耳を押さえた姿勢のまま、目が飛んでいた。

美鈴同様呆然《どうようぼうぜん》として、事態をまったく把握《はあく》できていないようだった。その側にへたり込み、発砲《はっぽう》した反動で尻餅《しりもち》をついている男子高校生は遠くから走ってくる鉄道警察《てつどうけいさつ》の姿を認めて、中腰《ちゅうごし》のまま腕《うで》を前脚《まえあし》のように使ってその場から逃げ出す。立ち塞《ふさ》がろうという正義感《せいぎかん》を持つ者は高校生が強く握《にぎ》る拳銃を前にしては現れない。むしろ進んで道を空《あ》ける正直者《しょうじきもの》ばかりだ。

美鈴は無防備《むぼうび》な小泉明日香を見てようやく、それが絶好《ぜっこう》の的《まと》に見えてきた。しかし鉄道警察が現場へと走ってくる状況《じょうきょう》で、堂々《どうどう》と発砲することはできない。せっかく撃《う》ちやすい場所を発見して有頂天《うちょうてん》になっていた美鈴《みすず》は、なにもかも台無《だいな》しにされて気分がぺしゃんことなっていた。

強引《ごういん》に撃《う》ってやろうかと一瞬《いっしゅん》考えるが、美鈴は悔《くや》しさを堪《こら》えて冷静に判断する。この場は発砲《はっぽう》した高校生への怒《いか》りを募《つの》らせながら、逃げることを選ぶ。2Fからそのまま、別のビルへと繋《つな》がる通路を利用することにした。

美鈴のその判断が幸運《こううん》だったのは、タカシマヤの壁《かべ》に張りつきながら周辺《しゅうへん》を把握《はあく》しようと努めている探偵《たんてい》が、美鈴のこともしっかりと見ていたことだった。その探偵に拳銃《けんじゅう》を見咎《みとが》められることなく、逃げることができたのだ。

美鈴はその不幸中の幸《さいわ》いに気づくことはなく、収まらない歯軋《はぎし》りと共《とも》に憤《いきどお》りをすり潰《つぶ》す。嫌《きら》いな人ランキングに忽然《こつぜん》と現れた、その高校生を思い出しながら。

黒田雪路

黒田《くろだ》には似《に》たような音を何度も耳にする経験《けいけん》があって、それがすぐに銃声《じゅうせい》だと判断するのは容易《たやす》かった。しかしこんな昼下がり、しかも人の往来《おうらい》激しい駅構内《えきこうない》で堂々と撃つやつがいるとは想像《そうぞう》していなかった。入り口付近で振り向いた黒田が目を見張る。

高校生に扮《ふん》した殺し屋の捨て身《み》かと最初は疑う。だが、その後のお粗末《そまつ》な対応を見るに、本物の学生だと確信《かくしん》する。覚悟《かくご》があったわけでもなく、考えがそこにあるわけでもなく。

衝動《しょうどう》に突《つ》き動かされて、力を振りかざした。そしてそれを誇《ほこ》るでもなく、腰《こし》を抜かす。中途半端《ちゅうとはんぱ》な振る舞《ま》いではあるが、しかしどんな理由があろうと人を撃ち殺したのは事実だ。あれは助からないだろうと、金時計の下で倒《たお》れている方の学生を見て黒田は判断する。

その学生が鉄道警察《てつどうけいさつ》の登場に怯《おび》えて中腰《ちゅうごし》で逃げてきて、黒田の方へとやってくる。拳銃を握《にぎ》りしめたままとはいえ、取り押さえるのは簡単《かんたん》だった。他の人間が入り口から離《はな》れて、或《ある》いは外へ逃れようとごった返す中で黒田は冷静にそれと向き合う。横を通るときに足でも出せば、簡単にすっころんでお終いだろう。

だが黒田《くろだ》は敢《あ》えて入り口を開けて、高校生に生きる道を作る。ここは逃がしておくべきなのだ。高校生はそうした黒田の気遣《きづか》いに気づく余裕《よゆう》もなく、進化途中《とちゅう》の猿《さる》のような前屈《まえかが》みの姿勢で走って、構外《こうがい》へと逃れた。拳銃《けんじゅう》をその途中、ようやく隠《かく》すことに思い至《いた》ったようだ。

『急に黙《だま》ってどうした？』

まだ繋《つな》がっていた電話先から、訝《いぶか》しむ声が届く。黒田は一旦《いったん》切る旨《むね》を伝《つた》えた。

「悪い、あとでかけ直す」

高校生の後ろ姿を目で追い、黒田は追いかけようと動き出す。ここで逃したのは警察《けいさつ》より先に見つけて、話を聞き出すためだ。ついでに拳銃も奪《うば》うつもりだった。拳銃の出所《でどころ》が一緒《いっしょ》だとしたら、警察が延々《えんえん》と調べ上げる中で黒田にも被害《ひがい》が及《およ》びかねない。それを未然に防ぐためにも、あの学生を野放《のばな》しにすることはできなかった。

倒《たお》れ伏《ふ》す学生の側には彼女らしき女子高生が膝《ひざ》を突《つ》いて、視界《しかい》に入ったのでそれを一瞥《いちべつ》する。背中を向けているので表情こそ見えないが痛《いた》ましい気持ちになる。理不尽《りふじん》に、唐突《とうとつ》すぎる別れを味わう少女に同情しながらも、黒田は自身《じしん》がそうした別れを何度も強《し》いてきた人間である故《ゆえ》、それを表《おもて》に出す権利はないと戒《いさ》めた。

混乱に乗《じょう》じるように、緑色《みどりいろ》の帽子《ぼうし》の男、花咲《はなさき》が現場からさりげなく学生鞄《かばん》を回収して離脱《りだつ》するのを横目に見ながら、黒田は逃げ出した高校生を追いかける。

しかしこの一件《いっけん》で黒田が一番気になっているのは、その花咲の行動だった。

ジュラルミンケースで鞄をうまく人目やカメラから隠す手つきは、妙《みょう》に手慣《てな》れていた。思わず、追いかける相手《あいて》を切り替えようとしてしまうほどだ。

「最初からなにかあるやつだとは思っていたが」

何者だよ、あの自称《じしょう》ヤキトリ売り。こんな状況《じょうきょう》で出しゃばれるのは、普通じゃない。

俄然《がぜん》、興味《きょうみ》を抱《いだ》いた。

岩谷カナ

轟音《ごうおん》に耳を塞《ふさ》いでいたカナが顔を上げると、野次馬《やじうま》の大群《たいぐん》が上から、下から押し寄せてきていた。カナはその流れに軽々と弾《はじ》き出されて、よろめきながら帽子《ぼうし》売り場の方へと移動する。大きな音がしたが、なにが起きたかはよく分かっていなかった。ただ大騒《さわ》ぎになっていることは、デパートの外の噴火《ふんか》するような悲鳴や怒号《どごう》によって伝《つた》わってくる。今のカナとしては実家《じっか》も遠く、ギャッピーもタカシマヤの6Fの婦人服《ふじんふく》売り場に勤《つと》めている以上、知り合いに危険は及《およ》んでいない。それならば、なにも心配することはなかった。

「わっ、と、とぅ」

履《は》き慣《な》れない靴《くつ》のせいで踵《かかと》を痛めて、それを庇《かば》おうと足を動かしたら滑《すべ》らせることになった。背中から大の字に寝転《ねころ》んでしまう。帽子売り場に半分乗りこむ形となったが、店員も外の様子《ようす》が気になって仕事が手につかないようで、カナをすぐに注意《ちゅうい》しようとしない。

カナはそのまま帽子売り場で寝転び、動こうとしない。カナには立ち上がる動機がなかった。人が大勢、溢《あふ》れ出すように流れていく振動《しんどう》を背中に感じる。カナにはそれがどこか心地《ここち》よく、取り残されたまま居眠《いねむ》りでも始めそうな心境《しんきょう》だった。

岩谷《いわや》カナは空虚《くうきょ》で、なにもない。しかし逆に『なにもないままいられる』ことがある種の強さとなっていた。その強さはカナの無気力《むきりょく》を防護《ぼうご》することになる、悪循環《あくじゅんかん》の源《みなもと》である。だが間違《まちが》っていても強くあるから、崩《くず》れない。

「なにやってるんですか?」

若い女の声が聞こえた。目は瞑《つむ》ったままで、相手《あいて》の顔は窺《うかが》えない。

「溺《おぼ》れておるのだ」

「はぁ?」

「社会の波《なみ》に翻弄《ほんろう》されて、世界の海の底辺に沈んでおる」

「はぁ。じゃあそれって、人間を研修中《けんしゅうちゅう》なんですか?」

「ん?」

「研修中の名札《なふだ》」

「あ」

つけっぱなしで上がってきてしまったらしい。

カナが目を開けて、バタバタと手足を振る。

喋《しゃべ》り方から店員ではないと気づいたが、半分冗談《じょうだん》で助けを求めてみた。

「それはそれとして、起こしてくれー」

「亀《かめ》なのに溺《おぼ》れないでくださいよ」

呆《あき》れた調子《ちょうし》の女がカナの手を取って引っ張る。小柄《こがら》なカナは軽々と起き上がり、よろめきながらも自分の足で立つ。それから真《ま》新しい靴《くつ》を脱《ぬ》いで、紙袋の中からボロボロの靴を取り出した。履《は》き慣《な》れたそれに足を入れた後、手首を摑《つか》んでいる女を見上げる。

そこでようやく、カナの目が微《かす》かな驚《おどろ》きに彩《いろど》られた。

「おぉ、ひめじーじゃん」

「え、マジで気づいてなかったの」

和服《わふく》の女性が腰《こし》に手を当てて、ジト目になる。

カナの手を取ったのは、久《ひさ》しく顔も見ていなかった大学の後輩《こうはい》だった。

緑川円子

「靴がダメになってしまった」

爪先《つまさき》の穴《あな》から突《つ》き出てしまっている親指を、新城《しんじょう》が見せびらかすように曲げる。抱きかかえて運ばれていただけなのに息《いき》の弾《はず》んでいる緑川《みどりかわ》は膝《ひざ》に手を置きながら、それを見る。

「飛び降りたとき？」

「恐らく。ズボって指の抜ける感触《かんしょく》がありました」

乗ってきた軽トラを停《と》めてある駐車場《ちゅうしゃじょう》まで距離《きょり》を取ってから、緑川たちは一息《ひといき》ついていた。乾《かわ》いてはいるが濃厚《のうこう》な昼下がりの日差しに頭を焼かれて、緑川が眩《まぶ》しそうに空を見上げる。

どれだけ人が騒《さわ》ごうと、空の穏《おだ》やかさには一点の曇《くも》りもない。

緑川はそうした壮大《そうだい》さに、無性《むしょう》に感動するタチだった。

「師匠《ししょう》は無事《ぶじ》で？」

「多分《たぶん》」

緑川が確認《かくにん》するのはまず、指先が動くかだった。陶芸《とうげい》のための商売道具を真《ま》っ先に確かめる。

その後に足や服を軽く点検《てんけん》して、背筋《せすじ》を伸ばす。汗《あせ》はまだ浮いているが、呼吸《こきゅう》は安定していた。

新城《しんじょう》が穴《あな》の空《あ》いた右足の靴《くつ》を脱《ぬ》いで、軽トラの荷台《にだい》に放りこむ。ついでに靴下も脱いだ。左足の方はそのまま靴を履《は》いて、脱ぐつもりはないようだ。片方だけ裸足《はだし》で、火事場から慌《あわ》てて逃げてきたような姿となる。その右足を見て、緑川《みどりかわ》が提案《ていあん》する。

「帰りは運転《うんてん》しようか？」

「大丈夫《だいじょうぶ》ですよ。師匠《ししょう》こそお疲《つか》れでしょう、休んでいてください」

新城が足の指を三本曲げて、残した親指と人差し指で器用《きよう》にVサインを作る。

「そう。じゃあ任《まか》せた」

さっさと助手席《じょしゅせき》に乗りこむ。緑川にしてみれば、先程《さきほど》の騒《さわ》ぎなどまったく興味《きょうみ》がない。ただ気になるのは、ああした騒動《そうどう》が起こることで個展《こてん》が延期《えんき》にならないか、ということだった。緑川にとっては生活がかかっているので、あまり暢気《のんき》に構えていられない。

新城は運転席の扉《とびら》に手をかけたところで止まって、遠くの歩道に目をやっている。睨《にら》むように、或《あ》るいは日差しを嫌《きら》うように目を細めている。その視線《しせん》の先になにがあるのかと、緑川も釣《つ》られてそちらに顔を向けたがなにに注目《ちゅうもく》しているか分からなければ、ただの風景にすぎない。

新城もそれからすぐに軽トラに乗りこんで、発車の準備をする。裸足でペダルを踏《ふ》み込んで、帰路《きろ》へと走り出した。平静を装《よそお》い笑顔《えがお》ではあったが、珍《めずら》しく急いでいる雰囲気《ふんいき》もあった。

駐車場《ちゅうしゃじょう》から離《はな》れるとすぐ、安堵《あんど》したように新城が話しかけてくる。

「最近は物騒《ぶっそう》になりましたね」

「そうね」

「犯罪の低年齢化《はんざいのていねんれいか》というのはあいうのですかねぇ。高校生が銃《じゅう》を持つなんて……」

当たり障《さわ》りなく話し続ける新城の声を聞き流しながら、緑川はその横顔に薄《うす》ら寒いものを感じていた。

得体《えたい》が知れないことは重々承知《じゅうじゅうしょうち》だったが、今回の件《けん》で更《さら》に謎《なぞ》が増えた。陶芸家《とうげいか》の弟子《でし》としては必要《ひつよう》のない身《み》のこなしを発揮《はっき》して、しかも肝心《かんじん》の陶芸については大して進歩していない。

「このバカ弟子《でし》が」

「え？」

緑川が「なんでもない」と頬杖《ほおづえ》を突《つ》く。走る度《たび》にどこか軋《きし》み、座《すわ》り心地《ごこち》も固くて劣悪《れつあく》な古い軽トラは、舗装《ほそう》の行き届いた道路と、背伸びする町並みから少し浮いている。自分が町に下りてくるとき味わう疎外感《そがいかん》に、それは似《に》ている。緑川と世間《せけん》は同じ方向を向いていない。

自分はこのまま何年も、何十年も陶芸家として生活できるのか時折《ときおり》不安になる。

「明日から個展ですか」

「そう」

「危なくありませんかね」

窓《まど》の方に向いていた緑川の目が、新城へ動く。

昼から心配を重ねる新城《しんじょう》に、緑川《みどりかわ》も疑いを口にする。

「心当たりでも？」

「そういうのはありませんが」

ないのに再三《さいさん》心配するほど、神経《しんけい》の細い男には見えない。緑川はそう言いたかった。

「逆恨《さかうら》みというのも往々《おうおう》にしてあり得ますから」

やはりなにか含《ふく》みを持たせて、新城が呟《つぶや》く。

そう言われたところで、緑川には思い当たることなどない。そもそも人付き合いも商売以外ではほとんどないのだから、人との繋《つな》がり自体が希薄《きはく》なのだ。良くも悪くも想いは集《つど》わない。

明確《めいかく》に悪事《あくじ》を働《はたら》いた覚えもない。

自分は、誰《だれ》からも恨《うら》まれるような生き方はしていない。

「……そう？」

そんなに立派《りっぱ》な人間だっただろうかと、納得《なっとく》しかねた。

花咲太郎

太郎《たろう》が高校生の忘れていった鞄《かばん》を回収した理由は、三つある。

一つは高校生の現住所《げんじゅうしょ》や名前を知るため。

二つめに近くに転がっていたので成《な》り行《ゆ》きで。

そして三つめは、暫《しば》し考えてみたがどうしても思いつかなかった。「格好《かっこう》つかないな」

駅交番《えきこうばん》の前を何食わぬ顔で通りすぎ、大通りを渡ってビッグカメラの方面へ歩く。その大きな店舗《てんぽ》を回りこむようにして歩き、ビルの隙間《すきま》にあるような細長い漫画喫茶《まんがきっさ》に入店した。

人目《ひとめ》につかない場所を選ぶと自然、全室《ぜんしつ》が個室《こしつ》であるそこへ足が向かった。店内の壁《かべ》は黒一色で、飾《かざ》りとして小さな電球がカラフルに点滅《てんめつ》している。入ってすぐ右側のカウンターで、一時間パックで席《せき》を取る。太郎が案内されたのは３Ｆの個室だった。料金を先払《さきばら》いした後、エレベーターを待《ま》つ。狭《せま》い店舗で階段はない。非常階段も表《おもて》には見当たらない。

混雑《こんざつ》しているのか、エレベーターが来るのも遅《おそ》い。側《そば》に置いてあった雑誌《ざっし》を手に取り、パラパラと大雑把《おおざっぱ》に中を見て、棚《たな》に戻す余裕《よゆう》があった。長々と待ってようやく訪れたエレベーターは無人《むじん》で、太郎《たろう》はホッと息《いき》を吐《は》く。この探偵《たんてい》はエレベーターに苦《にが》い思い出があった。仕事で向かった先のホテルで、乗り合わせた男に人差し指をへし折《お》られたことがあるのだ。
三、四人乗っただけでお互《たが》いの肘《ひじ》がぶつかりそうな小さいエレベーターに乗りこみ、『3』を押す。反応も遅《おそ》く、扉《とびら》を閉じるのに妙《みょう》な間を伴《ともな》う。動き出すと、箱《はこ》を底から揺《ゆ》さぶられているような、安定しない乗り心地《ごこち》を提供《ていきょう》してくれた。そのままひっくり返ってしまいそうな、頼《たよ》りない足もとの感覚《かんかく》にしかめ面《つら》となりながらも、3Fに到着《とうちゃく》する。
出てすぐ右側のシャワー室を一瞥《いちべつ》した後、受け取った伝票《でんぴょう》の部屋《へや》番号を確認《かくにん》する。番号案内に従《したが》って左側へと行き、目当ての部屋を発見する。

個室に入った太郎は鍵《かぎ》をかけて、靴《くつ》を脱《ぬ》いでマットの上に座《すわ》りこむ。帽子《ぼうし》をキーボードの横に置いてから、早速《さっそく》拾った鞄《かばん》を開く。教科書を一冊《いっさつ》引き抜いて裏面《うらめん》を見たが、なにも書かれていない。手垢《てあか》もほとんどついていないように綺麗《きれい》だった。

「高校生になると、さすがに名前は書かないか」

教科書を戻した後、鞄の別の場所を漁《あさ》る。ファスナーを開いた先に手を入れると、丁度《ちょうど》いい具合《ぐあい》に学生手帳《てちょう》が挟《はさ》み込まれていた。普段《ふだん》は使い道がなく持て余《あま》しているであろうそれを引き抜き、まず顔写真《かおじゃしん》と対面する。写っているのは銃《じゅう》を持っていたあの高校生だった。

これで鞄の持ち主《ぬし》が別人だったということもない。安心して手帳からの情報《じょうほう》を受け取る。

「首藤祐貴《しゅとうゆうき》……高校、三年生だな。制服を着ていたからな、目撃《もくげき》情報と合わせて早々に学校は

特定されるだろう。そうなればこの鞄と手帳がなかったところで、犯人《はんにん》が誰《だれ》かは絞《しぼ》り込まれる
……そもそも、監視《かんし》カメラの映像があるか。ふむふむ」

住所も記載《きさい》されている。距離《きょり》はあるが、地図と多少《たしょう》睨《にら》めっこすれば問題なく行ける。だが太郎はすぐにそこへ向かうつもりはない。首藤祐貴があのまま素直《すなお》に家に帰るということはないだろうと考えていた。そこまで神経《しんけい》が図太《ずぶと》ければある種《しゅ》、賞賛《しょうさん》に値《あたい》するがあの年頃《としごろ》だ。既《すで》に警察《けいさつ》が自宅《じたく》で待《ま》っている、と過剰《かじょう》に怯《おび》える可能性《かのうせい》が高い。そうなれば、駅《えき》から逃げ出した高校生がどこへ向かうだろう、と太郎が腕組《うでぐ》みをして頭を捻《ひね》る。

太郎が首藤祐貴にこだわる理由は当然、あの拳銃《けんじゅう》だった。篠崎達郎《しのざきたつろう》に渡された紙の玩具《おもちゃ》と同じ型の拳銃、その上、弾《たま》の飛び出す本物。篠崎達郎がいくらモデルガンであると言い張ろうとも、関係性を疑わないはずがない。遺失物《いしつぶつ》として拾ったのが首藤祐貴であることもあり得る、と太郎は見ていた。もしそれらが全《すべ》て正しく、篠崎達郎が依頼《いらい》に関して嘘《うそ》をついていたと証《しょう》明《めい》された場合、今回の仕事を無効《むこう》にすることも考えていた。違法《いほう》な落とし物を探《さが》すのはリスクが大きすぎる。ただ太郎としては拳銃を所持《しょじ》して、しかもぶっ放すような輩《やから》とは関わりたくないので居場所《いばしょ》を判明させたら、後は警察の知り合いに話して任《まか》せたいとも思っている。あくまで殺人事件《さつじんじけん》への関与は極力避《きょくりょくさ》けるというのが太郎の方針《ほうしん》だった。

高校の名前も含《ふく》めてメモを取った後、手帳を鞄に戻す。他にめぼしいものはなく、残るのは鞄の後始末《あとしまつ》だけだった。いつまでも持っているには不都合《ふつごう》なものだ。

目を細めて壁《かべ》を睨《にら》みながら考えていると、通路から扉《とびら》をノックされる。

そのノックの仕方《しかた》が嫌《いや》に太郎《たろう》の勘《かん》を打つ。

店員が叩《たた》くにしては乱暴《らんぼう》で、遠慮《えんりょ》のない速さだった。

顔を上げてから、音がしないようにその場で中腰《ちゅうごし》まで立ち上がる。

この漫画喫茶《まんがきつさ》はしきりこそあるものの、完全な密室《みっしつ》ではない。立てば上から隣《となり》の部屋《へや》を覗《のぞ》くことができる。太郎はノックに応《こた》える前に隣室《りんしつ》が空《あ》き部屋であることを確かめて、そこに首藤《しゅとう》祐貴《ゆうき》の鞄《かばん》を放った。それから帽子《ぼうし》を被《かぶ》り直して、扉を押し開く。

通路に立っていたのは店員ではなく、二人組の警官《けいかん》だった。太郎はギョッと、目を見張るように演技《えんぎ》した。警察が訪れるというシチュエーションが、望まないながらも初めてではない。

「け、けさつ……の方？」

首を引っこめて、怯《おび》えたような態度《たいど》に出る。左側の男が頷《うなず》いた。

「駅前《えきまえ》の事件《じけん》の犯人《はんにん》がこちらに逃げこんだという情報《じょうほう》があったので、確認《かくにん》を取っています。忙《いそが》しいところすみませんが、ご協力ください」

「はぁ……物騒《ぶっそう》ですね」

とぼけながらも、そちらの情報には内心《ないしん》で驚《おどろ》いていた。

首藤祐貴《しゅとうゆうき》がこの漫画喫茶《まんがきつさ》にいる。もっと遠くまで逃げていると考えていたので意外だった。

最近の高校生が逃げこむ場所は漫画喫茶か。

一つ勉強になって、太郎は「へぇへぇ」とへこへこ頷いた。

首藤祐貴

俺はずっとここにいて、ネットを見ていた。そしてふと眠って、人を撃《う》つ夢《ゆめ》を見た。

その夢は後味悪《あとあじわる》くも人が死んで、寝覚《ねざ》めは最悪《さいあく》だ。今も悪寒《おかん》が止まらない。六月なのに肌《はだ》は尖《とが》るような寒さに貫《つらぬ》かれて、気を抜くとすぐ頭を抱えて蹲《うずくま》りそうになる。なる。なる。

祐貴《ゆうき》が漫画喫茶《まんがきっさ》の個室で携帯《けいたい》電話を弄《いじ》って、作成したメールの内容は現実逃避《げんじつとうひ》だった。それを送信《そうしん》することなく、電話を隅《すみ》の暗がりに放り捨てる。その後、パソコンの電源《でんげん》を入れた。

起動を待つ間《ま》、祐貴は手のひらを見下ろす。綺麗《きれい》な手が二つある。汚れていない、なにも触《ふ》れていない。なにも知らないように、無知《むち》を装《よそお》う二つの手がある。しかし、この手が人を傷《きず》つけて、加害者《かがいしゃ》となった。最期《さいご》まで見届けなかったが祐貴は確信している。

吉上俊吾《よしがみしゅんご》は、死んでしまったのだと。

どれだけ才能《さいのう》があって恵《めぐ》まれていようとも、弾《たま》が一発貫通《いっぱつかんつう》すれば、あのザマだ。

祐貴は『特別』の脆《もろ》さをその手で知って、裏《うら》返った声をあげる。笑い声にも聞こえるそれはすぐ噎《む》せて途切《とぎ》れて、祐貴の肺《はい》に鋭《するど》い痛みを残す。尖った石でも突《つ》き刺《さ》さっているように、身体を動かそうとするだけで悲鳴が上がる。感情の奔流《ほんりゅう》に水分を奪《うば》われたように乾《かわ》いた目から涙《なみだ》はこぼれず、ただどこもかしこも痛いだけだった。咳《せき》も水気《みずけ》がなく、何度噎せても喉《のど》が痛い。

祐貴をもっとも恐れさせるのは人を殺したことへの恐怖《きょうふ》ではなく、自分がこれからどうなってしまうのかという不安だった。自分の人生はもう終わりだ。本当に？　終わるはずがない。そうした葛藤《かっとう》が繰《く》り返される。悟ったフリをしながらも祐貴の根底《こんてい》には、自分だけがこの世の『特別』であるという考えがあった。人として当たり前にあるそれが、祐貴に現実《げんじつ》を認めさせない。自分はなんだかんだでもっと上手《うま》くいく人間であり、こんなことで躓《つまず》いてなにもかも終わりになることを受け入れられない。

震《ふる》える唇《くちびる》を押さえるために、爪《つめ》を噛《か》む。歯も小刻《こきざ》みに動いて上手く噛めず、爪《つめ》が削《はが》れていく。まだなにかあるはずだ、と祐貴は逃避を続ける。人生が劇的《げきてき》に逆転して、結局最後はうまくいって元通《もとどお》りに生活できるような展開《てんかい》がきっと、自分には用意されているのだ。

鈍重《どんちょう》な立ち上がりで、動き出してからも反応《はんのう》の遅《おそ》いパソコンに苛立《いらだ》ちながら祐貴が単語《たんご》を打ちこんで検索《けんさく》する。『名古屋駅《なごやえき》　発砲《はっぽう》』と検索してみたが、さすがにまだニュースとして取り上げられていることはなかった。いつ自分の親が、息子《むすこ》の起こした事件《じけん》を知るのだろうと想像《そうぞう》すると、祐貴の胸《むね》が痛んだ。服の上から掴《つか》んで、身体《からだ》を丸める。今はまだ、両親はなにも知らずに働《はたら》いている。その事実が祐貴を打ちのめしたように、鼻の奥に強い刺激《しげき》を与える。

どうして撃ってしまったのだろう。弾丸《だんがん》は吉上俊吾だけでなく、祐貴の偏執《へんしゅう》した殺意や怒《いか》りさえ打ち砕《くだ》いてしまった。拳銃《けんじゅう》を手にしたことへの優越感《ゆうえつかん》など既《すで》に微塵《みじん》もない。なんでだよ、となにに対して問《と》いを重ねているかも定《さだ》かでないまま、祐貴《ゆうき》は際限《さいげん》なく落ちこんでいく。

小泉明日香《こいずみあすか》は、どうなったのだろう。吉上俊吾《よしがみしゅんご》の生死《せいし》より、そちらの方が気になっていた。守るはずだった。傷《きず》つける気なんかなかった。その思いは真逆《まぎゃく》の結末を祐貴に与える。

喉《のど》が渇《かわ》きすぎて声を出すこともできない。潰《つぶ》れそうなほど鼓動《こどう》を繰《く》り返す心臓《しんぞう》を落ち着かせるために水を飲もうと、祐貴が靴《くつ》を履《は》いて通路に出ようとする。そして扉《とびら》を押して半分ほど出たところで、三つ隣《となり》の部屋《へや》で緑帽子《みどりぼうし》の男が顔を出して、警官《けいかん》と話している場面を目撃《もくげき》した。

頭が真《ま》っ白《しろ》になって、膝《ひざ》が笑った。

祐貴は喉を直接殴《なぐ》られたように、血の味が口に迫《せ》り上がる。手で顔の下半分を覆《おお》いながら、必死《ひっし》の形相《ぎょうそう》で身体《からだ》を引っこめる。マットに後背部《こうはいぶ》を叩《たた》きつけるように倒《たお》れこみ、半開きの扉を閉める余裕《よゆう》もなく息《いき》が乱《みだ》れる。目はまばたきを忘れたようにずっと見開き続けて、猛烈《もうれつ》に乾《かわ》いて涙《なみだ》が浮かぶ。それを拭《ぬぐ》って身体を起こした祐貴は、顔面蒼白《がんめんそうはく》になりながら必死《ひっし》に頭を巡《めぐ》らす。

ここに警察が来る理由など自分しかあり得ない。ああして部屋を回って、自分を探《さが》しているのだ。逃げなければいけない。どうやって？　通路は一直線《いっちょくせん》で、エレベーターまで回りこむこともできない。非常階段の場所だって調べていないのだ。無理矢理《むりやり》通る。そんなもの頭の中ではうまくいっても、現実では絶対に成功しない。祐貴は頭を抱えて、目玉《めだま》が落ちそうなほど歪《いびつ》な表情となりながら、救いを求める。頭に熱が集いすぎて、突起物《とっきぶつ》でも生えそうになっていた。

拳銃で脅《おど》す？　マットの上に転がしてあるそれを祐貴が摑《つか》む。全《すべ》ての元凶《げんきょう》であるそれしか、物言わずに祐貴の側にはいてくれない。だが脅しても、確かに飛びかかられることはないだろうが存在《そんざい》を明かすこと自体愚策《じたいぐさく》だった。仲間《なかま》を下に呼ばれたらお終いなのだ。

他の客を人質《ひとじち》に取ることも考えたが、同様《どうよう》に祐貴は否定《ひてい》する。後《あと》がない。祐貴はあくまで、後があると信じた上で苦悩《くのう》している。そんな祐貴が次に考えたのは、有無《うむ》を言わせる前に、二人の警官を撃《う》ち殺すという暴力的《ぼうりょくてき》な方法だった。これなら、誰《だれ》もなにも報告できない。

この場を逃げることはできる。ただし、また人を殺すことになる。祐貴は手のひらを見る。返り血も浴びることなく、綺麗《きれい》な手だ。この手がまた、人を殺す。想像《そうぞう》するだけで祐貴の手が震《ふる》えて、拳銃を取りこぼした。慌《あわ》てて飛びついた姿勢のまま、祐貴は唇《くちびる》を嚙《か》む。

なにかがあるはずなんだと、祐貴はまた念じる。自分が救われるなにかがあると根拠《こんきょ》もなく、盲信《もうしん》するようになる。祐貴の根底《こんてい》にある『特別』への妄執《もうしゅう》が歪《ゆが》んだまま表面化しつつあった。

そしてそれを現実が無慈悲《むじひ》に叩《たた》き潰す前に、応《こた》えるものがあった。

悲鳴が響《ひび》き渡る。ただしそれは、機械の叫《さけ》びだった。

天井《てんじょう》に設置された火災報知器《かさいほうちき》が反応して、けたたましく鳴り始めた。

限界まで張りつめていた祐貴の心は、更《さら》なる不安に搔《か》き立てられて崩《くず》れそうになる。実際、膝を突《つ》いて泣き伏《ふ》せそうになったが、そこで祐貴は光明を見た。絶望《ぜつぼう》している場合ではないと、咄嗟《とっさ》に気づいたのだ。

祐貴《ゆうき》にとって、この警報《けいほう》は千載一遇《せんざいいちぐう》の機会だった。

室内を慌《あわ》てて見渡すと、左側のしきりに3Fの図が貼《は》ってあった。それに飛びついて、非常口を発見する。そして外では火災《かさい》の警報に釣《つ》られて、他の個室《こしつ》からも客が慌《あわ》てて飛び出してきた。祐貴はそれに乗《じょう》じて紛《まぎ》れこむ。通路にいた警官たちも火災の疑いがあってはその客を止めることなどできない。むしろ率先《そっせん》してエレベーターの方へと駆《か》ける始末《しまつ》だ。そして祐貴はそれを確認《かくにん》したあと、彼らと正反対の奥へと走る。非常口を冷静に確認したのは祐貴だけらしく、後を追ってくる者はいない。非常口の扉《とびら》を開いて、すぐに力強く閉じた。

祐貴は拳銃《けんじゅう》だけ持って、携帯《けいたい》電話は個室に忘れっぱなしだった。それにも気づかず、非常階段を駆け下りていく。下の階からも非常口から出ていこうとする客がいるのか、足音が反響《はんきょう》して聞こえてくる。その足音を追うように祐貴は下を目指し、そして1Fへと辿《たど》り着く。

非常口は誰《だれ》かが先に出たらしく開けっ放しだった。外を覗《のぞ》くと、目の前に道路と通りが見える。漫画喫茶《まんがきっさ》の入り口と正反対に位置しているようだった。祐貴は迷《まよ》わず、そこから出る。

ビルから出た祐貴は目の前の道路に飛び出して、クラクションを派手《はで》に鳴らされながら真《ま》っ直《す》ぐ駆けていく。アテなどあるはずもなく、ただ距離《きょり》を取ることしか頭になかった。

祐貴はいつか、轢《ひ》き逃げのニュースに憤慨《ふんがい》していた自分を思い出す。

なぜ逃げるのか。すぐに捕《つか》まるのに、どうして悪あがきするのか。

往生際《おうじょうぎわ》の悪さに毒《どく》づいて、母親相手に偉《えら》そうな言葉《ことば》を並べていた。

なぜ逃げるのか。すぐに捕まるのに、どうして悪あがきするのか。
祐貴はその疑問に対する答えを、ようやく学ぶ。
『まだなんとかなるんじゃないか』と、本気で考えているからだった。

黒田雪路

花咲太郎《はなさきたろう》が漫画喫茶《まんがきっさ》の個室に入室したのとほぼ同刻《どうこく》、黒田《くろだ》は3Fのシャワー室で頭を洗っていた。高校生を追いかけてここまでやってきたのはいいが、そこで自身《じしん》の頭の発する異臭《いしゅう》に気づいた。巻いていたタオルの土臭《つちくさ》さが髪《かみ》に染《し》みついてしまったのだ。恐らくこれの持ち主《ぬし》である緑川円子《みどりかわえんじ》は、その臭《にお》いに慣《な》れきって気づくことができないのだろう。

その臭いを取りたかったことと、同時に高校生にどうコンタクトを取るか、考える時間が欲《ほ》しかった。熱湯《ねっとう》を浴《あ》びながら、黒田はどういう態度《たいど》で出るべきか悩《なや》む。相手《あいて》が拳銃《けんじゅう》を持っている以上、黒田としても多少《たしょう》は慎重《しんちょう》に行動に出る必要《ひつよう》がある。一度撃《う》てたやつはまた撃てる、というのが黒田の経験則《けいけんそく》の一つだった。そして二発目を撃つと、三発目は覚悟《かくご》などという手続きを省《はぶ》いて、歯を食いしばるだけで撃てるようになる。今の黒田ができあがった過程《かてい》にはそうしたものがあり、それをあの高校生に重ねて見ている部分があった。

「きっと、今頃《いまごろ》は……あれ、俺はどうだったかな」

ぼつぼつと床《ゆか》に垂《た》れ続ける水滴《すいてき》の音が黒田の思考《しこう》を乱《みだ》す。それを目で追いかけていると今度は逆に、意識が研《と》ぎ澄《す》まされていく。深く吸いこまれていくようだった。目の焦点《しょうてん》も飛んでいつまでもそんな時間を過ごしていられそうだったが、黒田はそれを遮《さえぎ》って顔を上げる。

いつまでもシャワーを浴びていることはできなかった。人目《ひとめ》を避《さ》けたい高校生がすぐに別の場所へ移動することはないと踏《ふ》んでいたが、万が一もある。シャワーを止めて、受付《うけつけ》で借《か》りたバスタオルで頭を激しく拭《ふ》いた。結局、どういう対応《たいおう》でいくかは決まらなかった。

「こういうときは、出たとこ勝負《しょうぶ》だ」

髪は念入《ねんい》りに拭くが、背中は水滴だらけのまま服を着る。タオルは少し迷《まよ》ったが服のポケットにねじ込んだ。乾《かわ》ききっていない髪の先端《せんたん》を摘《つま》みながら、黒田が荷物を纏《まと》める。

そして弾《はず》みをつけようと勢《いきお》い良く扉を開いて、通路に出た。途端《とたん》、目に入ったのは警官《けいかん》二名が客室《きゃくしつ》をチェックしているところだった。おっと、と黒田が思わず身《み》を引く。

「あれと出たとこ勝負はしたくねぇな」

軽口《かるくち》を叩《たた》きながら、警官がここを訪れる事情を推測《すいそく》する。

「あいつを追ってきたのか。だよな、だろうな」

逃亡中《とうぼうちゅう》の高校生が3Fにいることは知っていた。警官もそれを知るのは時間の問題だ。高校生がそれに気づいているかは知らないが、知ればさぞ絶望《ぜつぼう》することだろう。場合によっては警官も撃たれる危険があると、黒田は目を細める。犠牲《ぎせい》など出ない方がいいと、あくまで常識《じょうしき》人《じん》である黒田は善良《ぜんりょう》な発想に基《もと》づいて物事を捉《とら》える。人死《ひとじ》にを防げないかと、周囲《しゅうい》を見渡す。

そこで目に止まった、天井《てんじょう》にある火災報知器《かさいほうちき》と、シャワー室の扉《とびら》の内側に貼《は》られた紙を見比《みくら》べる。黄ばんだセロテープで四隅《よすみ》を貼られたそれには幾《いく》つかの注意書《ちゅういが》きが書かれており、その中に『扉を開けたままシャワーを使わないでくれ』という一節《いっせつ》があった。

「分かった分かった」

黒田《くろだ》がその貼り紙に二度頷《うなず》く。そして引き返して温度を上げた後、お湯を大量に出す。シャワーノズルがその勢いで暴れないように、床《ゆか》にとぐろを巻くように設置する。そして扉を開けっ放しで放置して、黒田がエレベーターのボタンを押した。後はあの高校生にどれ程《ほど》の幸運《こううん》があるか、結果を待《ま》つだけである。捕《つか》まってしまうなら、それはそれでの心境《しんきょう》だった。

「お？　お、お、お」

エレベーターが到着《とうちゃく》する寸前《すんぜん》、花咲太郎《はなさきたろう》が警官《けいかん》の相手《あいて》をしているのを遠くから眺《なが》めて、思わず笑ってしまう。太郎の方までここにやって来ているのは、黒田も把握《はあく》していなかった。

「あの偽《にせ》ヤキトリ売り、同業者かなんかだったりして」

巡《めぐ》り合わせに奇縁《きえん》を感じながら、到着したエレベーターに黒田が乗りこむ。太郎が警官相手にどんなとぼけたことを言い出すか興味《きょうみ》はあったが、聞くための言い訳《わけ》が思いつかない。

1Fに下りた後、伝票《でんぴょう》を渡して早歩きで入り口へ向かう。店員に「またご利用ください」と挨拶《あいさつ》されて、この漫画喫茶《まんがきつさ》は二度と利用できないことを承知《しょうち》で、笑顔《えがお》で応《こた》えて店を出た。

店の外にもさりげなく、警官たちが待機《たいき》している。こりゃあ無理かなと、黒田が苦《にが》い笑いで高校生のその後に同情した。ただ、このビルの非常口は分かりづらいためか、そちら側にまだ警官が回りこんでいない。後は高校生の運《うん》と巡《めぐ》り合わせですべてが決まった。

裏手《うらて》に回って、ビルの脇《わき》に張りついて非常口を見張っていると、あの高校生より先に人影《ひとかげ》が出てきた。夏服《なつふく》の女子高生で、野暮《やぼ》ったいボリューム感ある前髪《まえがみ》に目が行く。女子高生は鞄《かばん》を抱きかかえるように持ちながら、駅《えき》の方へと走っていく。非常口から出てくる客がいるということは、あの悪戯《いたずら》が実《み》を結んだということだろうか。黒田はより注意深《ちゅういぶか》く、非常口を睨《にら》む。

その後、僅《わず》かな間を置いて目的の男子高校生が飛び出してきた。

予定通りに事が運んで、黒田がにんまりと笑う。警官たちの目につかないうちに高校生を確保しようと壁《かべ》から離《はな》れて駆《か》け寄ろうとするが、ギョッとする。その高校生の選んだ道は左右でなく、正面だった。

猪突猛進《ちょとつもうしん》とはこのことで、自動車の往来《おうらい》などまるで無視《むし》して道路に飛び出していく。そこまで命知らずな真似《まね》は黒田にもできない。結果として高校生は幸運にも轢《ひ》かれることなく、道路を先に渡ってしまう。黒田は最初、口を開けて呆然《ぼうぜん》としていたがすぐに顔を引き締《し》める。

「無茶苦茶《むちゃくちゃ》やるやつだな！」

そう言いながらも楽しそうに口の端《は》を引きつらせて、黒田が歩道経由《けいゆ》で追いかける。

体力がものをいう商売である以上、黒田もそれなりの自信はある。

鬼《おに》ごっこで高校生に負《ま》ける気はなかった。

岩谷カナ

「助けたカナに連れられて人魚《にんぎょ》カフェ。あれ、マーメイドって人魚だよね？」

「大学のビジネス英語《えいご》では習いませんでした」

「うん、ようするにここは竜宮城《りゅうぐうじょう》だ。やったな後輩《こうはい》、シワシワのジジイになれるぞ」

「少なくともジジイにはなれませんねぇ」

　出会った流れから構内の喫茶店《きっさてん》に入ったカナと姫路《ひめじ》は、二人とも客の視線《しせん》を集めていた。少なくともすれ違《ちが》う人が確実に一瞥《いちべつ》する。片《かた》や和服《わふく》の大和撫子《やまとなでしこ》、片や髪《かみ》だけいやに整ったパジャマ女。カナは喫茶店のトイレで着替えて、元《もと》のパジャマ姿に戻っていた。研修中《けんしゅうちゅう》の名札《なふだ》は、なにを思ったのか髪留《かみど》めの代わりに使っている。本人は気に入っているらしく、外《はず》すつもりもないようだ。

「かっちりした服を着ていたから、どこかに勤《つと》めていると思いました」

「いやー、大学も卒業してないし、今年はその予定もないし」

　まだしてなかったのか、と姫路の開いた口が塞《ふさ》がらなくなる。一年前から大学内に姿を見なくなったので、卒業したと解釈《かいしゃく》していたようだ。実際は同学年になっただけである。

「そっちは相変《あいか》わらず大和撫子やってんのね。大学でめだつだろ、モテてる？」

「不思議《ふしぎ》なことに、まったく声がかかりませんね。茶道部員《さどうぶいん》と間違《まちが》えられるぐらいです」

そりゃそうだろ、キワモノだもん。カナは笑顔《えがお》でその意見を呑《の》みこんだ。

姫路が注文《ちゅうもん》したのはアイスミルクで、カナは水だった。二人ともストローで啜《すす》っている。

財布《さいふ》がないカナは当然、なにも注文することなどできない。後輩で、しかも大富豪《だいふごう》の家庭に生まれ育つ姫路だが、奢《おご》る気はまったくないようだった。姫路曰《いわ》く「ケチだから金持ちになるんですよ」との言葉《ことば》だった。つまりとても気前《きまえ》のいいギャッピーはお金持ちになれないのかー、とカナは友人の将来を思って暗雲《あんうん》たる気持ちとなる。

「そっちは大学の帰り？」

「いいえ、金曜日は陶芸《とうげい》教室に通っていますから」

「へー、陶芸ってあれか、ろくろくるくるーの」

カナが珍妙《ちんみょう》な手つきで架空《かくう》のろくろを回す。「くるくるーのです」と姫路が頷《うなず》いた。

「楽しいですよ、岩谷《いわや》さんも暇人《ひまじん》ならどうです」

「んー、ひめじーと一緒《いっしょ》だと受講料《じゅこうりょう》が途中《とちゅう》でムダになるからなぁ」

「失敬《しっけい》な」

憤慨《ふんがい》するものの、本人にも多少《たしょう》の心当たりはあるようだった。

姫路灯《ひめじともり》にはジンクスがあり、所属《しょぞく》する団体がなぜか、短期間で活動終了《しゅうりょう》してしまうことになる。姫路がなにかするわけでもないのだが、不思議《ふしぎ》とそういう巡《めぐ》り合わせにあるらしい。

大学のサークルも三つほど掛《か》け持ちした結果《けっか》、活動終了となった経緯《けいい》がある。カナの所属していたサークルも、姫路が参加し始めて二週間で解散《かいさん》となってしまった。ただそれ以来、こうして顔をあわせれば茶を飲むぐらいの間柄《あいだがら》とはなったので、カナとしては損《そん》ばかりでもない。

「なんか慌《あわ》ただしいよね。さっき色々あったみたいだけどさ」

構内の喧噪《けんそう》がカフェの中にも浸透《しんとう》して、ざわつきが収まらない。時々、電車が発車する振動《しんどう》で店内も揺《ゆ》れるため、世界全体が震《ふる》えているようだった。姫路はミルクの入ったコップを置いて、構内へと目を向ける。その動きにあわせて流れる黒髪《くろかみ》の美しさに、カナの目が緩《ゆる》む。

「なんでも人が撃《う》たれて死んだそうです。金時計の下らしいですよ、嫌《いや》ですね」

「へー」

嫌悪《けんお》する姫路と異《こと》なり、カナの反応は淡泊《たんぱく》なものだった。

テレビやネットの向こうでは毎日欠かさず、人が死んでいるのだ。

それが画面の手前に来たにすぎない。カナに動揺《どうよう》や関心は一切《いっさい》なかった。

だが水を啜《すす》っている途中《とちゅう》で、今の発言を聞き流すことができなくなる。

「撃たれた？」

「ええ、拳銃《けんじゅう》で。アメリカみたいですね」

ばきゅーんと姫路が人差し指で撃つ真似《まね》をする。カナも撃ち返しながら、「拳銃」と単語《たんご》を反芻《はんすう》する。部屋に置いてきた拳銃と関係あるのかが気になっていた。当たり前ではあるが、誰《だれ》が落としたという情報《じょうほう》はカナにまったく入ってこない。カナはあくまで偶然《ぐうぜん》に拾っただけの部外者なのだ。

「しかし、卒業していなかったとは……」

ガラスコップの中の氷《こおり》をストローで掻《か》き混ぜながら、姫路が改《あらた》めて言葉《ことば》を失う。話題を蒸《む》し返されて、カナとしては気まずい。同じように掻き混ぜて場を繋《つな》ごうとしても、カナは既《すで》に氷を齧《かじ》って食べてしまっていた。残っている水だけを混ぜることもできず、手と目がさまよう。

「どうでもいいけど、ひめじーって左利《き》きじゃん。なんかカッコイイよね」

「マジでめっちゃどうでもいいですねぇ」

姫路が氷を嚙《か》み砕《くだ》いてから、コップを置く。カナを観察するように見つめて、しばらく黙《だま》る。カナも口を噤《つぐ》むが内心では、お茶なんか飲みに来るんじゃなかったなぁという気になっていた。

大体《だいたい》、茶なんか飲んでねーし。そうぼやいたあたりで姫路が口を開いた。

「リアルタイムクロックってご存じですか？」

リアル、タイム。口の中で単語にくぎるが、思い当たるものはない。

「アニメ見てるときによくCM流れてたやつ？」

「それはケロッグ。強引《ごういん》なボケですね」

「そういうのが求められてるキャラかなーと」

「否定《ひてい》はしませんが。で、リアルタイムクロックというのは、まぁ文字通りのものです」

「さっぱり分からん」

カナが言うと、姫路《ひめじ》がテーブルに両肘《りょうひじ》を突《つ》いて指を組み、微笑《ほほえ》む。

「パソコンや携帯《けいたい》電話が電源《でんげん》を切って止まっていても、中の時計は動いているわけです。そうでないと意味がありませんからね」

「……………………」

「人間も一緒《いっしょ》で、本人が止まったつもりでも、止まれないわけですね」

姫路がそんな話を急に披露《ひろう》して、なにが言いたいのかはカナもすぐに察する。

「えぇと、あれか。嫌《いや》みか」

なにもしないでいる自分だが、歳《とし》だけは食っていく。そう言いたいのだろうと、カナは解《かい》釈《しゃく》した。姫路は「そうですよ」とあっさり認めて、ストローの先端《せんたん》を噛《か》む。

「同学年になったのだから、多少《たしょう》はお説教しても構わないでしょう」

「んー。いや、分かってるけど。けど、なんだよね」

姫路に言われなくとも、ギャッピーには行動で示《しめ》されて、カナもそれを認めている。だがカナは正しいからという理由だけで動くことができない。時計の針《はり》が進むことにあわせて歩いていくことができなくなり、今となっては正しい時間というものを見失っていた。

そこに劇的《げきてき》な契機《けいき》はない。カナは自然に立ち止まって、そのまま堕落《だらく》していった。

カフェから出た後、姫路がカナの前髪《まえがみ》を弄《いじ》りながら口もとを緩《ゆる》める。

「でも見かけたときは懐《なつ》かしかったですね」

「ん？」

「岩谷《いわや》さんはいつも、所構《ところかま》わず寝転《ねころ》んでいましたから」

カナの眉間《みけん》にシワが寄る。幼児性《ようじせい》を指摘《してき》されたような気がして、微妙《びみょう》に傷《きず》ついた。

「そうかぁ？」

「ええ。それじゃあまたお会いしましょう」

「んー。ま、んー。その内」

姫路がたおやかに手を振って、改札《かいさつ》の方へ歩いていった。カナは猫背《ねこぜ》のまま立ち止まりながら、手を振り返した。姫路が振り向かなくなってから手を下ろし、ホッと息《いき》を吐《は》く。

人と長々話すのは、どうにも疲《つか》れが溜《た》まる。今日など外出続きで特にだ。

「ああもう、なんか……サターンバレーに引っ越《こ》したい」

カナがマンションへ帰ろうと、千鳥足《ちどりあし》のようにふらつきながらも前へ進む。

「でも、よく懐かしがられる日だな」

髪《かみ》を摘《つま》みながら、カナがバツ悪く言う。現在《げんざい》の自分など、誰《だれ》にも求められていない。カナとしてはそういう解釈《かいしゃく》に至《いた》る。それからもう一つ指摘《してき》されたことが正しいか、指折《ゆびお》り数える。

「ベンチ、椅子《いす》、墓場《はかば》、グラウンド、部室《ぶしつ》……んー、確かに」

寝転《ねころ》んだことのある場所を振り返って、カナが一人頷《うなず》く。快晴《かいせい》の日は日の下で倒《たお》れて、空を見上げたくなる。首を上に向けていると疲《つか》れるという横着《おうちゃく》から生まれたその癖《くせ》は、外出する機会が激減《げきげん》することで失われたように感じていた。だが、未《いま》だ染《し》みついているのだろうか。

カナは寝転んで、見上げる度《たび》に『遠いなぁ』と空を羨《うらや》んできた。

たとえ地上のどこかで人が殺されても、空はしがらみを持たずに在《あ》り続ける。

その雄大《ゆうだい》さに、カナはいつも恋《こい》してきた。

時本美鈴

コンビニで買ったソフトクリームを舐《な》めながら、美鈴《みすず》は道路の車の行き来を眺《なが》めていた。メロンブックスの隣《となり》の建物と隣接《りんせつ》して建つ地下駐車場《ちゅうしゃじょう》の入り口には緑のネットが張られて、現在《げんざい》は使われていないようだった。その脇《わき》にある、管理部屋《かんりべや》に続く階段の途中《とちゅう》に座《すわ》りこんで時間を潰《つぶ》していると、ささくれ立っていた心も大分《だいぶ》落ち着いてきていた。

「甘《あま》いものは、えらい」

程良《ほどよ》く柔《やわ》らかいクリームを舐め取りながら、美鈴が笑顔《えがお》で賞賛《しょうさん》する。

通学路からは離《はな》れた場所だったが、美鈴は時間を潰すときによくこの駐車場に来る。喫茶店《きっさてん》へランドセルを背負《せお》ったまま一人で入るわけにもいかないし、なによりお金が勿体《もったい》なかった。拳銃《けんじゅう》を買ったことで美鈴の財布《さいふ》は空《から》っぽに近い。今月は始まったばかりで、小遣《こづか》いを貰《もら》える日はずっと先だ。だから今味わっているソフトクリームの味はひとしお、美鈴に感動を与えた。

ちろちろと舌《した》をソフトクリームに入れて、穴《あな》を作る。その穴を覗《のぞ》いて笑いながら、美鈴は撃《う》たれて死んだ高校生のことを思う。死んだ人はこのソフトクリームを食べられないのだ。

先生が日頃《ひごろ》教えるように、死ぬことはなんて不幸なのだろうと甘味《かんみ》によって実感《じっかん》する。

脇《わき》に置いたランドセルに肘《ひじ》を載《の》せて、少し姿勢《しせい》を崩《くず》しながら美鈴《みすず》は目線の向かう先を変える。道路から、空へ。流れる大きな雲を見上げながら、美鈴は明日からのことに思いを馳《は》せた。

小泉明日香《こいずみあすか》を週明けに狙《ねら》うのも考えたが、一つ問題があった。今日、美鈴の邪魔《じゃま》をしたあの高校生が上位《じょうい》に入ると、小泉明日香が六位から弾《はじ》き出されてしまうのだ。拳銃《けんじゅう》の弾《たま》に予備はないので、美鈴が撃《う》てるのは六発が限界だ。七位に転落した小泉明日香を諦《あきら》める必要《ひつよう》がある。

それに、小泉明日香が学校にすぐ復帰《ふっき》して通うかどうかも分からない。

「ぬぅぅ……あ、でもこれであいつを駅《えき》で見ることないかも。かれしが死んだし」

唸《うな》っていた美鈴の顔がパッと明るくなる。だがそれもすぐに引っこむ。

物音が側でして、美鈴は口を噤《つぐ》んだ。自分の独《ひと》り言《ごと》を聞かれてはまずいことは理解している。

駐車場《ちゅうしゃじょう》2Fの管理室から、扉《とびら》を内側から開けて男が現れた。美鈴を一瞥《いちべつ》するがなにも言わず、2Fの欄干《らんかん》に腕《うで》を載せる。荷物として、大量の水色の箱《はこ》を抱えていた。

男は薄汚《うすよご》れた黄土色《おうどいろ》の帽子《ぼうし》を深く被《かぶ》り、隠《かく》れ気味《ぎみ》の顔は疲労《ひろう》の色が濃《こ》い。欄干に寄りかかっているが、そのまま滑《すべ》って地面に落下していきそうな虚脱《きょだつ》を感じさせる。

美鈴はしばらく黙《だま》って眺《なが》めていたが、なにを思ったかその男に話しかける。

元々《もともと》、物怖《ものお》じはしない性格《せいかく》なためか声は明るいものだった。

「おじさん、元気ないね」

声をかけられることが意外だったらしく、男が固まる。それから、溜息《ためいき》を吐《つ》いた。

「おじさんだからな」

「学校の先生はおっさんだけど元気だよ」

担任《たんにん》の腫《は》れた顔を思い浮かべながら美鈴が言う。男は顔を上げて、美鈴を見た。

「小学生が道草《みちくさ》食うなよ。さっさと帰れ」

「おじさん、大人だよね？　働《はたら》かないとだめだよ」

見上げながら、美鈴が言い返す。その生意気《なまいき》さに男が舌打《したう》ちをこぼしたが、本気で怒《おこ》る力も残っていないようだ。帽子のツバを弄《いじ》りながら、相手《あいて》をするのが面倒《めんどう》そうな顔になっている。

「ここの人？」

「あぁ？」

「駐車場の人？」

美鈴が言い直す。男は横を向きながらも、意外と律儀《りちぎ》に否定《ひてい》した。

「違《ちが》う。ここはちょっと、調べ物とか。そんな感じだ」

「ふぅん」

言葉《ことば》を濁《にご》しながらの説明で要領《ようりょう》を得ないが、美鈴は頷《うなず》く。男もそこで少し顔を上げて、改《あらた》めるように美鈴を見た。変な小学生に多少は関心を持ったらしい。見る価値《かち》がある程度《ていど》には美鈴の容姿《ようし》が愛《あい》らしかったというのもあるだろう。人の信用を得るのは外見《がいけん》によるところも大きい。

「それで、なんで元気ないの？」

「さっき言っただろ。大人はみんな疲《つか》れてるんだよ」

「どうして？」

「身体《からだ》が大きいからさ。デカイと動かすだけで息切《いきぎ》れするんだ」

男が適当《てきとう》なことを言う。美鈴《みすず》がそれに対して黙《だま》っていると、バツが悪くなったのか口を開く。

「仕事でとんでもない失敗をしたんだ」

「へぇー。おじさん、仕事あるんだ」

そこかよ、というしかめ面《つら》を男が浮かべる。帽子《ぼうし》の奥の額《ひたい》に手を添《そ》えて、息《いき》を吐《は》く。

「たくさんあるよ。商売繁盛《しょうばいはんじょう》だ。ああでも、なんで、あんな失敗したかな……」

「大人は大変だねー」

美鈴の薄《うす》っぺらい同情に、男の目が動く。指の隙間《すきま》から覗《のぞ》けるその目は呆《あき》れているようだ。

「嫌《いや》な小学生だな」

「えー、なにが？」

美鈴がとぼける。男はそれも察したように唇《くちびる》を尖《とが》らせるが、やはり怒ろうとはしない。

「失敗したこと自体はどうでもいいんだ。ただ、それが上司《じょうし》にバレたら……ヤバイなんてものじゃない。その前に、なんとか回収しないと。でも、無理だよなぁ……匿名《とくめい》が仇《あだ》に……」

男が愚痴《ぐち》り始める。もう美鈴のことは眼中《がんちゅう》にないのか、一人で苦悩《くのう》し、そして動き出す。

「こんなことしてる場合じゃない。無理《むり》でも、やらないとな」

「元気出してね」

「そらどうも。だからお前もさっさと帰れよ」

男が追い払《はら》うように手を振って、階段を下りる。ポケットに手を入れながら、地面を踵《かかと》で削《けず》るように、不機嫌《ふきげん》に歩いていった。遠くにいったことを確かめてから、美鈴《みすず》がランドセルを撫《な》でる。

「関係あるかな？　ないかな？」

美鈴の呟《つぶや》きは、男に話しかけたことと関係があった。美鈴が拳銃《けんじゅう》を購入《こうにゅう》する際《さい》、受け取りの場所として指定したのがこの駐車場《ちゅうしゃじょう》だった。廃棄《はいき》された駐車場に用があるやつは滅多《めった》にいない。だから、そこから出てきた男はもしかして、自分に拳銃を売《う》った相手ではないかと思った。

もし関係あるのなら、なにを『失敗』したのか気になるところではあった。

美鈴がそう考える一方で、大人は頭が固い。拳銃を買う客に小学生がいるとは、固定概念《こていがいねん》から考えづらいものだ。そこを意識《いしき》しているから、美鈴は敢《あ》えて声をかけた。でも、なにも疑わないなんて。

「てんけーてきな、だめな大人ってやつだ」

楽しそうに言う。それから、溶けかけているソフトクリームを一気《いっき》に口に入れた。

最後の一口《ひとくち》を堪能《たんのう》していると、ふらふらと、パジャマ姿の女が駐車場の前を歩いていく。平泳ぎでもするように腕《うで》を振って、身体《からだ》を前に出しているつもりらしい。傍《はた》から見ると酷《ひど》くマヌケで、本人の眠たそうな顔と相《あい》まって格好《かっこ》悪いことこの上ない。靴《くつ》もボロボロで、しかも踵を履《は》き潰《つぶ》していた。

汚れた子犬《こいぬ》が彷徨《さまよ》っているみたいで、なんとなく、横から撃《う》ちたくなる雰囲気《ふんいき》があった。しかしすぐに後ろから女子高生もやって来たので、美鈴はランドセルに伸ばしかけた手を引っこめる。鞄《かばん》を抱いた女子高生は軽快《けいかい》に走って、パジャマ姿の女を抜き去《さ》った。

ソフトクリームの包みを握《にぎ》り潰して丸めてから、美鈴は呆《あき》れる。

そして同時に、自分もいつかはあれの仲間《なかま》として扱《あつか》われるようになることを嘆《なげ》いた。

大人って、だめなやつばっかりだなぁ。

花咲太郎

火災報知器《かさいほうちき》が鳴った直後、太郎《たろう》は警察《けいさつ》の二人組の動きに感心した。反応《はんのう》が他のどの客よりも早かった。迅速《じんそく》に逃げようとしたのだ。通路に半分出て話をしていた太郎も一緒《いっしょ》にその後に続いたので、少し遅《おく》れて背後に生まれた大混雑《だいこんざつ》に巻き込まれることはなかった。

警官《けいかん》たちは場所を把握《はあく》できていない非常階段ではなく、すぐ側にあるエレベーターの方へと走った。飛びつくようにボタンを押した後、暴徒《ぼうと》のような足音が迫《せま》ることに辟易《へきえき》した目を向ける。太郎はそちらと正反対、通路の突《つ》き当たりの方に漂《ただよ》うものを発見して、「あ」と指差す。

警官たちが太郎のその声と指に釣《つ》られて振り向く。そして、ギョッとなる。奥の部屋《へや》から、白い煙《けむり》のようなものが溢《あふ》れ出ていた。警官は口の部分を塞《ふさ》ぎながら、腰《こし》を低くしてその部屋の前へ急行する。太郎はその場に留まっていたが、その煙を遠くから見つめることで「あれって」とその正体《しょうたい》に気づく。と、同時に火事ではないことも悟《さと》って、脱力《だつりょく》して床《ゆか》に座《すわ》りこんだ。

いざとなれば窓《まど》を割って逃げ出すこともできない構造《こうぞう》の3Fである。火災が下から迫《せ》り上がってきているとしたら、全滅《ぜんめつ》も覚悟《かくご》しなければいけない。太郎も人並《ひとな》みに死ぬことを恐れて、怖いものがある俗人《ぞくじん》にすぎない。そして超人的《ちょうじんてき》でない自分を、太郎は好《す》きだった。

火災報知器の知らせたものが湯気《ゆげ》で、シャワー室を開けっ放しにした悪戯《いたずら》だと判明して、戻ってきた警官たちが「人騒《ひとさわ》がせな」と悪態《あくたい》を吐《つ》く。太郎も同感だった。まだ混雑の最後列は事態を把握《はあく》できていないため、怒号《どごう》や悲鳴のようなものが木霊《こだま》する。無人《むじん》だったシャワー室の扉《とびら》を閉じた後、警官たちが誰《だれ》にも負けないようにと声を張り上げて、なにが起きたかを説明し始める。その最中《さいちゅう》、警官たちの目は駅《えき》で発砲《はっぽう》した高校生の姿を探《さが》していた。客が強制的《きょうせいてき》に全員集まったことで、かえって都合《つごう》よかったのかもしれない。太郎も振り向いて顔ぶれを眺《なが》めるが、首藤祐貴《しゅとうゆうき》の姿はなかった。別の階にいるのか、もしくは、とシャワー室を睨《にら》む。

それから、騒動《そうどう》の後始末《あとしまつ》の混雑と雑多《ざった》な説明から解放されるまで、三十分近くかかった。店員からも申《もう》し訳程度《わけていど》の謝罪《しゃざい》があってから、気分が削《そ》がれて帰ろうとする者、時間いっぱいまではここにいようとする者と反応が分かれる。太郎は前者で、用事もないのでそのまま店を出ることにした。ごった返すエレベーターに乗りこむと、乗った人間の重量だけでそのままストンと落下していきそうだった。明らかに定員オーバーなまま扉が閉じられて、ロープウェイのように派手《はで》に揺《ゆ》れながら1Fへと下りていく。太郎としては生きた心地《ここち》がしなかった。

受付にはそのまま行列ができる。精算《せいさん》のためだけに並ぶのも妙《みょう》にバカバカしい光景だった。店員が一人しかいないので、太郎の番が回ってくるまで、十分《じゅっぷん》近く必要《ひつよう》とした。

精算しながら、首藤祐貴の鞄《かばん》を隣《となり》の部屋に置きっぱなしであることを思い出したが、敢《あ》えて取りに帰る必要《ひつよう》はないと判断した。客の誰《だれ》かがその部屋《へや》に案内されたら、忘れ物としてフロントに届けられて処理《しょり》されるだろうから、太郎《たろう》にとって好都合《こうつごう》だった。

そしてようやく支払《しはら》いを済《す》ませて、飲み物も、本も手に取らないまま太郎が漫画喫茶《まんがきっさ》を後にした。それとほぼ同時に女性がやってきて、すれ違《ちが》う。太郎は脇《わき》に寄って道を譲《ゆず》った。

そこで、その金髪《きんぱつ》の端《はし》に目を引かれた。

「……れ、れ、れ?」

その金髪の女性に強い既視感《きしかん》を覚えて振り向く。すれ違ったその女性は整えられた髪《かみ》が風で乱《みだ》れるのを気にしてか、しきりに頭を触《さわ》っている。太郎にとってはなんの興味《きょうみ》も抱《いだ》かない年齢《ねんれい》の相手《あいて》である。だが、どこかで似《に》た人物に会ったような気がして、振り向いたまま立ち止まる。

太郎を検知《けんち》する自動ドアが開いたり、閉じたりを繰《く》り返す。その音と太郎の視線《しせん》を感じてか、女性が振り向く。しかもにやつきながら近寄ってきた。相手をしていた店員の困惑《こんわく》を無視《むし》して女性がやってきて、太郎に愛想良《あいそよ》く微笑《ほほえ》んだ。

「久《ひさ》しぶりだね、見違《みちが》えたじゃないか」

「は?」

親しげに肩を叩《たた》かれる。太郎の方は似ている誰《だれ》かを感じているが、しかし本人との面識《めんしき》はないので困惑《こんわく》してしまう。それに、まるで年上のように振《ふ》る舞《ま》われるのも動揺《どうよう》を誘《さそ》った。

「なんだ、私のことを忘れたの」

「え、ええ。どちら様？」

「だったら今から覚えておくといいよ。はじめまして」

女性がぺこりと頭を下げる。それから、種明《たねあ》かしを明るく語った。

「ごめん、きみとは初対面さ。ジロジロ見られるのは気分がよくないからね、仕返しだよ」

「だと思った」

太郎が相好《そうごう》を崩《くず》す。女性も肩をすくめて、渦巻《うずま》いていた空気を弛緩《しかん》させた。

だがそう言いながら、女性の方は太郎をジロジロと不躾《ぶしつけ》に、観察している。太郎はそれを意《い》識《しき》して、『そういうところが誰かを思い出させる』と、口の中で感想を呟《つぶや》いた。

「おっと、店員がこっちを睨《にら》んでる」

「ですね」

女性が大げさに振り返って、男性店員に笑いかける。店員は顔を逸《そ》らし、張りつめていたものを途切《とぎ》れさせる。女性は一般的《いっぱんてき》に捉《とら》えるなら美人に属して、それを意識して利用したのだ。

「それじゃあね、タロウ君」

「ん？」

最後に挑発《ちょうはつ》するように、女性がわざとらしく言って店の中に戻っていった。

太郎は店の外に突《つ》っ立ったまま、一度も名乗っていないことを確かめてから、顎《あご》を掻《か》く。

「本当に知り合いだったのかな」

学生時代の知り合いだとするなら、太郎《たろう》と呼ぶはずがない。本名《ほんみょう》を口にするはずだ。つまり探偵《たんてい》としての自分を知る相手《あいて》であるとするなら、過去《かこ》の依頼人《いらいにん》だろうかと推理《すいり》する。

年齢的《ねんれいてき》に興味《きょうみ》がないので顔を忘れがちとはいえ、あんなのはいなかった気もする。しばらく店の前で唸《うな》った後、太郎が指を鳴らした。合致《がっち》する顔を発見して、しかしその顔は暗い。

「……そうか」

太郎がようやく、誰《だれ》を思い出したのかはっきりとさせる。その前にエレベーターに乗っていたことも関係したのかもしれない、と分析《ぶんせき》した。

太郎が今の女性に想起《そうき》したのは、自分の人差し指をへし折《お》った『青い男』だった。髪《かみ》の色と目もとが瓜《うり》二つだった。兄妹かなにかだろうか、と思わず店から身《み》を引く。

以前に出会ったその男は、明らかに異質《いしつ》だった。太郎はなんの因果《いんが》か自称《じしょう》殺し屋に知り合いがいるのだが、そいつと纏《まと》う雰囲気《ふんいき》が似《に》ている。つまり、青い男は殺し屋の類《たぐい》ではないかと予想していた。そんなのと関係している相手とは、十分《じゅうぶん》に距離《きょり》を取って無関係でいたい。

「……さて」

道の左右を見比《みくら》べてから、自分がこの後にどこへ行くかを決める。当初は延々《えんえん》と駐車場《ちゅうしゃじょう》の前に張り込む予定だったが、予定外の事件《じけん》があった。本物の拳銃《けんじゅう》が出てきて、しかも探《さが》し物と同じ型と来た。

こうなってくると、依頼人《いらいにん》に聞いてはっきりさせないといけないことがある。

そのために事務所に戻ることを選んで、腕《うで》を大きく振って歩き出した。

緑川円子

車内で緑川《みどりかわ》がそれに気づいたのは偶然《ぐうぜん》で、なんの気なくポケットに手を入れたときだった。入れた覚えのない紙くずがねじ込まれていて、なんだろうと取り出す。いつ入れられたかも定かでないそれは一見《いっけん》するとただの紙くず、ゴミであり、すぐに捨てようかと緑川は考える。しかし意味深《いみしん》な気もしたので、中に物騒《ぶっそう》なもの、たとえば刃物《はもの》などが入っていないことを触感《しょっかん》から確かめた後に開いてみる。開くとワープロソフトで打った字が印刷《いんさつ》されていた。

内容はいたって簡単《かんたん》なもので、脅迫《きょうはく》だった。

『個展《こてん》を開催《かいさい》しないでください。したら殺します』

目を通した後、緑川は無表情のまま紙を縦《たて》に潰《つぶ》した。皺《しわ》に沿《そ》って、ぐしゃりと脅迫文が歪《ゆが》む。更《さら》に両手で丸めて、ポケットに突《つ》っこんでしまう。それから、「なんだそりゃ」と呟《つぶや》いた。

「なにか言いました？」

運転中《うんてんちゅう》で、前を向いたままの新城《しんじょう》が緑川の声に反応《はんのう》する。

「なんでもない」

独《ひと》り言《ごと》を一々説明するのも気恥《きは》ずかしいので、首を横に振るだけで済《す》ませた。

個展と指定しているのだから、渡す相手《あいて》を間違《まちが》えたということはないだろう。つまり緑川に恨《うら》みでもあるのか、もしくは開かれると都合《つごう》が悪いので中止を求めているやつがいる。

緑川が新城を一瞥《いちべつ》する。

弟子《でし》が妙《みよう》に確信を持って心配していることといい、今の自分には取り巻くなにかがあるようだ。俗事《ぞくじ》に疎《うと》い緑川もそれぐらいは察する。しかし個展を開催するなというのは無理《むり》な注文《ちゆうもん》だ、と突《つ》っぱねる。なにしろ生活がかかっているのだ。開かなければどの道いずれ、金が尽《つ》きてお終《しま》いになる。それぐらいなら陶芸《とうげい》を続けて死んだ方が面白《おもしろ》い、と緑川は脅迫を無視《むし》することを決めた。これがせめて弟子を追い出せとかそれぐらいの要求なら、緑川も呑《の》むつもりだった。

軽トラは市街地《しがいち》から離《はな》れて、やがて山道に逸《そ》れていく。舗装《ほそう》された道も半《なか》ばまで登れば途切《とぎ》れて、後は獣道《けものみち》に近い。車体ごと飛び跳《は》ねて尻《しり》が痛くなることを、緑川は今から覚悟《かくご》する。

だが身《み》を固くする一方で、緑川の心には涼風《りようふう》が吹いていた。

開催するなということは、個展が滞《とどこお》りなく開催するということである。

緑川はそこに安堵《あんど》の息《いき》を吐《は》き、心穏《おだ》やかに目を瞑《つむ》った。

首藤祐貴

祐貴《ゆうき》は必死《ひっし》に逃げ惑《まど》うが、その行動範囲《はんい》は狭《せま》い。駅《えき》の周辺《しゅうへん》をぐるぐると彷徨《さまよ》っているだけにすぎなかった。知らない道へ行くことの恐怖《きょうふ》や、先行きのなさが自然、道を狭《せば》める。

そして誰《だれ》かが追いかけてきていることに気づいてから、祐貴の進路は更《さら》に単純《たんじゅん》なものとなる。

細い、人目《ひとめ》につかない道をとにかく選んで、その間を走り抜けようとするだけだ。

今も走り続けて、偶然《ぐうぜん》見つけた路地に入りこむところだった。背後《はいご》ばかりを気にして、他のものに注意《ちゅうい》を向けることができない。視野狭窄《しやきょうさく》となって心臓《しんぞう》の鼓動《こどう》ばかりが耳につく。

五感《ごかん》が偏《かたよ》り、満足に働《はたら》いていない。

そんな状況《じょうきょう》だったからか、路地の端《はし》に座《すわ》りこんでいた犬《いぬ》にいきなり吠《ほ》えられて、祐貴が思わず体勢《たいせい》を崩《くず》す。横に飛び跳《は》ねて、ビルの壁《かべ》に強く肩を打った。その弾《はず》みで拳銃《けんじゅう》が手から抜け落ちてしまう。祐貴が慌《あわ》てて拳銃を拾おうと、立ち止まって振り向くと目の前に靴《くつ》が飛んできているところだった。

「は、ぶぇし！」

最後まで驚《おどろ》くこともできずに、パカーンと、完璧《かんぺき》な音を奏《かな》でて祐貴の顔面《がんめん》と靴の裏《うら》がぶつかり合った。

黒田雪路

咄嗟《とっさ》に投げた靴《くつ》が思いの外《ほか》、綺麗《きれい》に高校生の顔に当たったことで黒田《くろだ》のテンションが上がる。踊《おど》るように飛び跳《は》ねてから、一気《いっき》に駆《か》けて高校生との距離《きょり》を詰《つ》めた。高校生が拳銃《けんじゅう》を落としていたことを幸《さいわ》いに、その前髪《まえがみ》を摑《つか》む。思いっきり引っ張って、高校生が歯を食いしばって苦悶《くもん》に耐《た》えている間に、足を引っかける。そして摑んだ髪ごと、頭部を固い地面に叩《たた》きつけた。

高校生の目が激痛《げきつう》に見開く。黒田は構わず、高校生に馬乗りとなった。本当は先に拳銃を回収したかったのだが、日の当たらない場所ということもあって、咄嗟《とっさ》に見つけることができなかった。よって後回しにして、まず、高校生の鼻を殴《なぐ》り潰《つぶ》すことを試《こころ》みる。二発、三発と渾身《こんしん》の力を込めて叩き、鼻血を噴《ふ》き出させる。そうすることで真《ま》っ先に抵抗《ていこう》の意思を削《そ》いだ。他のことはそれから、順良くやっていけばいい。黒田に染みついた基本だった。

「シー、な。シー」

立てた人差し指を口の前に添《そ》えて、黒田が犬《いぬ》に注意する。あまり吠《ほ》えられて人を呼ばれても困る。当然、犬にそんな言葉《ことば》や仕草《しぐさ》が直接伝わるはずもないが、不思議《ふしぎ》と犬は高校生と違《ちが》い、黒田に吠えようとしない。黒田の雰囲気《ふんいき》や臭《にお》いから、なにかを察したのかもしれない。

「さてと。やっと話ができるな」

相手《あいて》が話をできそうもない状況《じょうきょう》であることはまったく無視《むし》して、黒田が言う。高校生は涙《なみだ》と鼻血に溺《おぼ》れるようだった。黒田がそれを服の袖《そで》で強引に拭《ぬぐ》ってやる。

形ながらの親切で取り繕《つくろ》おうとする黒田に、高校生の目が怯《おび》えて歪《ゆが》んだ。

「けい、さつ？」

「いや、民間人《みんかんじん》だ。通報《つうほう》したりはしないさ、安心しなよ」

鼻を潰しておいて、それは難《むずか》しいだろう。自分で言いながら黒田が苦笑《くしょう》してしまう。

「駅《えき》できみを見て、話を聞きたくなったんだ。答えてくれよ」

悪戯《いたずら》っぽく、げんこつを掲《かか》げて黒田が屈託《くったく》のない笑顔《えがお》を見せる。高校生は言葉を失ったように、口を開けたまま次の鼻血を垂《た》らし始めた。涙は止まっても、そちらはまだ続くらしい。

「まず聞きたいんだけど。なんできみは銃《じゅう》なんか持っている？」

銃の話題に触《ふ》れられると、高校生の鬱々《うつうつ》とした顔が一層《いっそう》、陰《かげ》りを帯びる。

「か、買った、から」

「ふんふん、なるほど。では次の質問《しつもん》。誰《だれ》から買った？」

「……………」

高校生が無言《むごん》を三秒《びょう》維持《いじ》すると、黒田の握《にぎ》りこぶしが動いた。脅《おど》しの目的で、鼻ではなく横っ面《つら》を殴《なぐ》り飛ばす。黒田《くろだ》が胴体《どうたい》に乗っているせいで身体《からだ》が動かず、頭だけがちぎれそうなほど揺《ゆ》れた。更《さら》に、高校生がなにか言いそうになっても黒田は二度ほど、頬《ほお》の骨《ほね》を殴った。

その度《たび》に黒田の手は痛んで胸《むね》も痛ましい思いを訴《うった》えるが、それを無視《むし》できる程度《ていど》には人を殴った経験があった。高校生が涙《なみだ》ながらに、「もう、殴らない、で」と訴《うった》えてくる。

「すぐ言えば殴らなかった」

そう言うと、今度は高校生が『すぐ』に白状《はくじょう》する。

「ネットで、買った。だから相手《あいて》なんか、知らない」

「あちゃあ……節操《せっそう》ないな」

黒田と同じ購入《こうにゅう》方法だった。これではこの高校生を警察《けいさつ》に聴取《ちょうしゅ》させるわけにいかない。それから高校生が黒田の態度《たいど》からなにか気づきそうな顔をしているので、もう一度、鼻を殴った。

高校生は呻《うめ》き声を上げようとするが鼻血が流れこんで、派手《はで》に噎《む》せる。血の混じった唾《つば》が地面に落ちた雨のように跳《は》ねて、高校生の顔に降る。

「んで、次の質問《しつもん》は……スカッとした？」

「……え？」

質問の意味が分からなくとも、無言《むごん》のままだと殴られることに怯《おび》えて、高校生が短い声をあげる。黒田は自分が最初に人を殺したときの心境《しんきょう》を思い出しながら、敢《あ》えて尋《たず》ねた。

「いや、人を殺してさ」

そう言われて、高校生の顔色が変わる。他人から指摘《してき》されることで一層《いっそう》、高校生の意識《いしき》は歪《ゆが》んでいく。或《ある》いは、すぐに逃げたので撃《う》った相手《あいて》が死んだ事実を知らなかったのかもしれない。

「相手が憎《にく》いのか、偶々《たまたま》見かけたのを撃っただけかは知らないけど、それできみは、」

「ん、なんだなんだー?」

唐突《とうとつ》に、そんな間延《まの》びした声が聞こえてきた。完全に油断《ゆだん》しきっていた黒田の背中が、びくりと、派手《はで》に跳《は》ねる。咄嗟《とっさ》に振り向いてしまう。それが大きな隙《すき》を作ることを理解しながら、反射的《はんしゃてき》に身体が動いていた。高校生もそれに気づいて、がむしゃらに身体を動かす。

相手は高校生で黒田が殺し屋といっても、体格はさほど変わらない。気の緩《ゆる》んだところを、それこそ命がけで反抗《はんこう》されれば力尽《づ》くで押さえつけることは難《むずか》しい。黒田の下から身体を地面で削《けず》るようにして抜け出た高校生が、黒田をひっくり返すように強く押し飛ばす。黒田はそれに抗《あらが》いきれず、先程《さきほど》の高校生のように壁《かべ》に身体を強く打ちつける。

そして高校生が拳銃《けんじゅう》を拾ったところで、黒田を悪寒《おかん》が襲《おそ》う。しかし高校生は撃つことなど頭にないらしく、服の内側に拳銃を隠《かく》しながら、人影《ひとかげ》の方向へ走っていってしまった。

助かったと胸《むね》を撫《な》で下ろす反面、逃げられたことに溜息《ためいき》が漏《も》れる。話は聞けたが、肝心《かんじん》の高校生がこのまま警察《けいさつ》に捕《つか》まっては追いかけた目的は半分も達成できない。

「本当は、始末《しまつ》しておきたかったけど」

黒田が頭を掻《か》き、自身《じしん》の失敗で取り逃したことに羞恥《しゅうち》を覚える。そして未《いま》だ突《つ》っ立っている人影《ひとかげ》からの視線《しせん》を感じて、この恥《はじ》が伝《つた》わらない内《うち》に去《さ》ろうとその場を離《はな》れる。
拳銃《けんじゅう》を事務所に置き去《ざ》りにしてきたことを、今更《いまさら》ながらに後悔《こうかい》しながら。

岩谷カナ

「すいー、すいー」

駅《えき》からマンションまで、カナは平泳《ひらおよ》ぎで世間《せけん》を渡った。傍《はた》から見るとバカ丸出しであり、侮《ぶ》蔑《べつ》の対象だったが当《とう》の本人は周《しゅう》囲《い》の視線などまったく気に留《と》めない。そもそも人目《ひとめ》を気にしているなら、よれたパジャマやボロボロの靴《くつ》で出歩けるはずもない。

暑いとどうにものんびり歩く気がしなくて、本人なりに急ごうとした結果、この動きが生まれた。腕《うで》の動きに釣《つ》られて身体《からだ》が前に出るので、普段《ふだん》のカナよりは早く前に進んでいる。

途中《とちゅう》、様々《さまざま》な人に追い抜かされながらもマンションの入り口に辿《たど》り着く。そこで泳ぐ真似《まね》を止めて腕を下ろし、「つかれた」と外出の感想を締《し》めくくった。働《はたら》くこと自体は受け入れても、つきまとう気怠《けだる》さはごまかしようがない。そうするとつい猫背《ねこぜ》で俯《うつむ》きがちとなり、そこでカナは足もとに見慣《みな》れないものを発見することになった。

マンションの脇《わき》に丸っこい犬《いぬ》が座《すわ》っていた。腹回《はらまわ》りがたぷたぷと小気味《こきみ》よく揺《ゆ》れている。その曲線《きょくせん》が作り物のようにかわいらしいので最初は置物かと勘違《かんちが》いしたが、通りすぎようとしたら吠《ほ》えられて、カナの肩がびくりと反応《はんのう》する。

「おぁぁ、びっくりした。お前、犬《いぬ》だったの」

間の抜けた質問《しつもん》に、犬が吠える。まるで、『そうだ』と答えているようだった。

犬が一度、飛び跳《は》ねてから動き出す。カナの前にやってきて、前脚《まえあし》でマンションの裏側《うらがわ》を指す。カナが首を捻《ひね》りながらそちらを覗《のぞ》いてみるが、建物に遮《さえぎ》られてなにも見えない。

犬は指した方向に移動しながら、カナに何度も振り向く。そして吠える。『ついてきてくれ』と言っているように感じて、カナが噴《ふ》き出す。「いやいやまさか」と、手を横に振った。

だが『まさかじゃないぞ』とばかりに、犬がばうばうとカナを呼ぶ。普通の人なら薄気味《うすきみ》悪くなるほど、鳴き方が人間の声と嚙《か》み合っている。カナはそれを敬遠《けいえん》することなく、逆《ぎゃく》に面白《おもしろ》がって後についていってみることにした。

「んー。お前、飼《か》い犬だよね。毛並《けな》み綺麗《きれい》だもん」

犬がばうばうと返事する。それが是非《ぜひ》のどちらか判別つかないが、カナが頰《ほお》を引っ張る。

「あたしと一緒《いっしょ》か。でも犬はいいよねぇ、働かなくてもちやほやされるし」

『犬もけっこう大変なんだぜ』

「あーはいはい、悪かった」

勝手に犬の鳴き声を台詞《せりふ》に置き換えて、カナが会話する。犬も満更《まんざら》でもないように吠えた。

そのまま犬に先導《せんどう》されて、マンションの裏手まで回る。犬はマンションと、裏側に建つビルの間の路地《ろじ》を前足で指す。そのビルにはマネキン人形を売っている不思議《ふしぎ》な店が1Fにあり、表《おもて》のワゴンには人形の頭部がゴロゴロ転がっていて、夜間に見ると腰《こし》を抜かす者もいる。

「なに、ここ入れって？」

犬が腹《はら》を揺《ゆ》らす。頷《うなず》いているつもりなのだろうか、とカナが目を細める。

「変なやつ」

ここまで来たついでなので、路地を覗いてみる。「お？」と、カナの目がすぐになにかを捉《とら》える。薄《うす》暗がりで人相《にんそう》の判別《はんべつ》はつかないが、二つの人影《ひとかげ》があるようだった。一人は地面に寝転《ねころ》んで、もう一人はそいつに馬乗りとなっていた。喧嘩《けんか》だろうか、と思いつつもカナは一歩近づいてしまう。

「ん、なんだなんだー？」

カナがなんの気なしに声を出すと、馬乗りになっていた男の背中が派手《はで》に震《ふる》えた。その隙《すき》を見逃さず、下の男が暴《あば》れる。上の男がひっくり返されて壁《かべ》に身体《からだ》を打ちつけている間に、下の男が中腰《ちゅうごし》でなにかを拾う。そして、カナの方へと全力で駆《か》けてきた。カナが目を白黒《しろくろ》させているると、その横を鼻血だらけの高校生が駆け抜けていく。なにかを内側に隠《かく》すように、前屈《まえかが》みの姿勢だった。

「な、なんだよぅ」

カナが仰《の》け反《ぞ》る。路地の先に残っている方の男は立ち上がった後、高校生とは反対の道へと去《さ》っていった。お互《たが》い、距離《きょり》もあって顔ははっきりと見えなかったようだ。

それが済《す》んだ後、『今のは気にしない』といった態度《たいど》で、犬《いぬ》が路地《ろじ》を進んでいく。物騒《ぶっそう》なやつが他にもいた場合を想像《そうぞう》して及《およ》び腰《ごし》になりながらも、人影《ひとかげ》が見当たらないことを確かめてカナが犬の後に続いた。今のやつら以外にまだ見せるものがあるのだろうか。

そして丸い犬が立ち止まって、前足で指した先には壁《かべ》に沿《そ》ってへたり込んでいる別の犬がいた。白い毛並《けな》みが薄汚《うすよご》れて、外傷《がいしょう》はないが弱っているようだった。その犬を紹介《しょうかい》でもするように、丸い犬の方が軽く足を上げる。カナは「あー」とその意図《いと》を読み取り、二匹《ひき》の前に屈《かが》む。

「あのさ。お前とこの犬を助けろとか、ずーずーしーこと要求《ようきゅう》してません？」

犬が『正解である』とばかりに嬉《うれ》しそうに鳴く。短い尻尾《しっぽ》をぺたぺたと振っている。

「……変なやつ。ほんとにこっちの言葉《ことば》が分かってそう。こんなお腹《なか》なのに」

カナが犬の下《した》っ腹《ぱら》を撫《な》でる。犬はくすぐったそうに身を捩《よじ》るが、抵抗《ていこう》はしない。

「うち、マンションだからねぇ……内緒《ないしょ》で猫飼《ねこか》ってる人とかいるけどさ」

実家《じっか》で長年飼っていた犬のことを思い出して、カナが遠い目になる。大学に在学中《ざいがくちゅう》に亡《な》くなったので、死に目に会うことは叶《かな》わなかった。それを踏《ふ》まえてか、カナの顔に感傷《かんしょう》のようなものが浮かぶ。

「どうせあたしも犬だし、一匹、二匹増えても変わんないか」

紙袋の中身《なかみ》を出して脇《わき》に抱《かか》えた後、空《から》になった袋の口を目一杯《めいっぱい》開く。

「ここ入り。見られるとうるさいから」

地面に置いて犬たちを誘《さそ》う。丸い犬の方はすぐに反応《はんのう》したが、へたり込んでいる犬の方は警《けい》戒《かい》しているのか、動こうとしない。しかしカナが「おいで」と優《やさ》しく促《うなが》すと、犬はその声に反《はん》応《のう》するように紙袋に収まる。二匹分《にひきぶん》の犬が袋の中で大人しくしているのを眺《なが》めて、カナは心を和《なご》ませた。紙袋が破《やぶ》けないようにと下から支えて持ち上げる。

「犬に好《す》かれるのは、あれだ。仲間《なかま》と思われていたりして」

その自己分析《じこぶんせき》を最初は笑ったが、段々と笑い声は乾《かわ》いて最後は無言《むごん》となった。

それから幸《さいわ》いなことに、マンションの中で誰《だれ》ともすれ違《ちが》うことなく部屋《へや》まで戻ることができた。カナが靴《くつ》を脱《ぬ》ぎ散《ち》らかして、紙袋から犬を出す。犬二匹はゆっくりと部屋の中を歩き回り、幸い、吠《ほ》え回る様子《ようす》はない。そもそも、細い方の犬はそんな元気もないようだった。

カナも部屋に上がる。と、そこで机《つくえ》に置きっぱなしの携帯《けいたい》電話が赤く点滅《てんめつ》して、着信《ちゃくしん》を通知していることに気づいた。おや珍《めずら》しいと、買ってもらった服を放って電話を取る。実家《じっか》かギャッピーかと予想して確認《かくにん》すると、そのどちらでもない人物からだった。

カナの生活費《せいかつひ》を援助《えんじょ》している物好《ものず》きこと、『吉上順一《よしがみじゅんいち》』から留守電《るすでん》が入っていた。連絡などまず取ってこない相手《あいて》なので、萎縮《いしゅく》してしまう。吉上順一はいい歳《とし》した中年で、カナとは二回しか顔を合わせたことがない。しかもそれは大学に関連した関係で、カナと深い付き合いがあるわけでもない。それなのに、なにを見出したのかカナをこの地と大学に留めていた。

見返りになにかを要求《ようきゅう》されたこともないので、最近は存在《そんざい》そのものを忘れかけていた。

「その吉上《よしがみ》さんからー、はいはいなんでしょう」

繋《つな》がってもいない電話と会話しながら、録音《ろくおん》を再生《さいせい》する。そこまではやる気のない鼻歌《はなうた》交じりだったが、その短いメッセージを再生した瞬間《しゅんかん》、カナの頭に鍾乳石《しょうにゅうせき》でも突《つ》き刺《さ》さるようだった。しかも突き刺さった石の破片《はへん》が鼻や口から溢《あふ》れるような衝撃《しょうげき》が、上から下へと貫《つらぬ》く。

顔も忘れている吉上順一《じゅんいち》は、押し殺したような声で言った。

『身内《みうち》に不幸が遭《あ》った。しばらくはそちらを援助《えんじょ》する余裕《よゆう》がない』

時本美鈴

夕方前に家に帰った後、美鈴《みすず》はランドセルをひっくり返して中身《なかみ》を床《ゆか》に散らばらせた。教科書と給食袋《きゅうしょくぶくろ》、それとノートの中に拳銃《けんじゅう》が埋もれる。その拳銃は放っておいて、ノートを一冊《いっさつ》引き抜いた。ついでに筆箱《ふでばこ》の中からシャープペンも用意する。母親はタカシマヤで働《はたら》いているので、夜になるまで家の中には美鈴しかいない。拳銃も隠《かく》す必要《ひつよう》がなかった。クッションを縦《たて》に並べてその上に寝転《ねころ》んだ後、ノートを開く。そのノートの表《おもて》にはマジックで『8』と書かれている。美鈴のランキングノートは本来、これで七冊目だが三冊目は使いきる前に紛失《ふんしつ》してしまっていた。自分の名前は書いていないし、中に記《しる》されている人物も本人でなければ縁《えん》の分からない繋《つな》がりなので、害《がい》はないだろうと美鈴は放っておいた。なくしてから二ヶ月近く経《た》つが、今のところなにも起きていないのですっかり安心していた。

昨日《きのう》使ったページの下半分に6月1日と日付《ひづけ》を書きこんで、ランキングを作成し始めた。一位の名前は昨日から変わらないが、二位に関しては変動がある。『銃持った高校生』と、本名《ほんみょう》を知る術《すべ》もないので暫定的《ざんていてき》にそう書きこむ。その横に、特徴《とくちょう》を忘れない内に書いておいた。

「髪《かみ》はまっすぐ、鼻は低い。あごのところにちょっと傷《きず》があって……ぐらい？」

拳銃《けんじゅう》の方に注目《ちゅうもく》していたので、顔その他があまり思い出せない。写真もないのでどう探《さが》すか美鈴《みすず》には思いつかなかったが、二位を狙《ねら》うのはまだ先なので問題は後回しにした。

三位、四位と順調《じゅんちょう》に筆《ふで》が進んでいく。六位にあった小泉明日香《こいずみあすか》は綺麗《きれい》さっぱりとランキングから消えて、美鈴自身《じしん》の興味《きょうみ》も他に移ってしまっているようだった。極端《きょくたん》な執着《しゅうちゃく》はないのだ。

美鈴が嫌《きら》う理由など、酷《ひど》く単純《たんじゅん》で底が浅《あさ》い。たとえば小泉明日香。どこが嫌いかといえば、『自分より美人だからいや』という、身勝手《みがって》極《きわ》まりないものだった。小泉明日香の人柄《ひとがら》など関係なく、同級生《どうきゅうせい》の姉を偶然《ぐうぜん》見かけたときその顔に嫉妬《しっと》したという、それだけだ。

そもそも躊躇《ちゅうちょ》なく人を殺せるような倫理《りんり》観《かん》の持ち主《ぬし》が、真《ま》っ当《とう》かつ重い理由で人を嫌うはずもない。時本《ときもと》美鈴にとって、動機や尊厳《そんげん》など風船《ふうせん》より軽く、そして割れやすい代物《しろもの》だった。

美鈴は道徳《どうとく》の教育を殊更《ことさら》、母親から受けたことがない。たとえなくとも自然、周囲《しゅうい》と触《ふ》れ合う中で育《はぐく》まれていくはずの常識《じょうしき》が、美鈴の場合は上手《うま》く育たなかった。育つための種《たね》がなかったのか、もしくは未《いま》だ未熟児《みじゅくじ》なのか。

書き終えたノートとペンを置いて、俯《うつぶ》せから仰向《あおむ》けに寝転《ねころ》び直す。

明日は元《もと》五位の『姫路灯《ひめじともり》』を狙おうと、美鈴が鼻歌《はなうた》交じりに休日の予定を立て始めた。


↓二日目に続く。

緑川円子

緑川《みどりかわ》は作業場の脚《あし》が不揃《ふぞろ》いな椅子《いす》に腰《こし》かけて、ぼうっとしていた。なにをするでもなく、椅子ごとかくんかくんと身体《からだ》を揺《ゆ》らしている。六月ともなれば日が長くなり、夕暮れはまだ遠い。夕飯《ゆうはん》はまだかなぁと、口を半開きにして緑川が待ち侘《わ》びていた。食べることと寝《ね》ること以外、緑川の興味《きょうみ》はほとんどない。趣味《しゅみ》がないのは出費《しゅっぴ》が抑《おさ》えられるということで、好都合《こうつごう》だと評《ひょう》価《か》していた。困るのは画商《がしょう》との商談の際《さい》、世間話《せけんばなし》を求められる場面もあることで、そうした情報《じょうほう》だけはネットから得ることにしている。山奥なため、新聞配達《しんぶんはいたつ》も範囲外《はんいがい》だった。

新城《しんじょう》は靴《くつ》の穴《あな》あきが修理《しゅうり》できないかと、作業場の隅《すみ》で背を丸めて格闘《かくとう》している。青い上着を脱《ぬ》いで椅子にかけて、腕《うで》まくりをしながら糸と針《はり》を踊《おど》らせる。陶芸《とうげい》は一向《いっこう》に上達しない割《わり》に手先は器用《きよう》な男で、炊事《すいじ》を任《まか》せてもそつなくこなす。

「縫《ぬ》ってもまたすぐ穴が空くと思うけど」

「そうなんですけど、気に入っているもので」

「そう」

緑川《みどりかわ》が椅子《いす》の背もたれに寄りかかり、身体《からだ》を反《そ》る。首を後ろに傾《かたむ》けて背後《はいご》を眺《なが》めると、壁《かべ》際《ぎわ》には新城《しんじょう》の活《い》けた花菖蒲《はなしょうぶ》が、出来損《できそこ》ないの壺《つぼ》と一緒《いっしょ》に飾《かざ》られていた。

失敗作を飾られるのは緑川としても気分を大《おお》いに害するのだが、その花がなければ作業場は本当に殺風景《さっぷうけい》なものである。『それはよくない』と言いきられると、インテリアに関心のない緑川は『まぁそんなもんか』と押し切られて、そのまま認めてしまう。結果、新城の気に入った失敗作の陶器《とうき》を花が彩《いろど》ることとなってしまった。見る度《たび》に心の荒《すさ》むインテリアなど意味があるのか、緑川としてはその存在《そんざい》に大いに疑問だった。

「明日は休日ですし、駅《えき》のデパートも人が多いでしょうね」

縫《ぬ》いながら新城が話を振ってくる。緑川も壺を睨《にら》みながら答える。胸《むね》を前に突《つ》き出して喉《のど》も反り返っているので、少し息苦《いきぐる》しそうだった。

「そのたくさんの人が個展《こてん》に来てくれることを祈《いの》る」

「ですね」

新城の同意は淡泊《たんぱく》なものだ。それを望んでいないようにすら取れる。新城は靴《くつ》を縫う合間《あいま》に携帯《けいたい》電話を弄って、なにか検索《けんさく》しているようだった。その結果を緑川に報告《ほうこく》する。

「さっきの駅での事件《じけん》が取り上げられましたよ。撃《う》たれた学生は死亡《しぼう》したそうです」

「そう」

膝《ひざ》に手を当てて更《さら》に反り返りながら、緑川がいつも通りの反応《はんのう》を見せる。死んだといっても赤の他人である。それに緑川は混乱《こんらん》する中で新城に連れ出されていち早く逃げたため、事件が目の前で起きていたという実感《じっかん》が薄《うす》い。

「若いのに残念ですね」

「年寄りだって死ねば残念だよ」

両親と死別《しべつ》したことを踏《ふ》まえて緑川が反論する。新城は針《はり》を摘《つま》み直して、緑川に尋《たず》ねた。

「師匠《ししょう》、人間は死んだらどうなると思います？」

緑川が頭を振って、身体を起こす。三日月《みかづき》を描《えが》くような姿勢を止めて、椅子の上に膝《ひざ》を立てて座《すわ》り直す。タオルの上から頭を掻《か》いて、目を泳《およ》がせる。答えを考えているようだった。

「この学生、死んだ後はどうなったんでしょう」

「あんたはどう思うの？」

答えが見つからなかったのか、緑川が新城に問《と》う。新城は靴に針を突き刺《さ》しながら言った。

遠くで新城の電話が鳴っているが、出るのが面倒《めんどう》なのか無視《むし》を決めこむ。

「永遠《えいえん》に目覚めないというのは感覚《かんかく》の終わりですからね。想像《そうぞう》もつかないし、考えるだけで恐ろしい。だからせめて意識《いしき》がどこかに続くような、そんな場所があったらいいとは思います。そうでないと、嫌《いや》じゃないですか。最後にそんなのが待《ま》っていたら、誰《だれ》も幸《しあわ》せになれない」

「ふぅん。……あんたは、死ぬのが怖いわけね」

なにも恐れていないような笑顔《えがお》を維持《いじ》し続ける新城を、緑川が意外《いがい》な目で見る。

新城《しんじょう》は本心《ほんしん》を覗《のぞ》かせない笑《え》みを浮かべたまま、それを強く肯定《こうてい》した。

「ええ。私は誰《だれ》よりも、死ぬことを恐れているのです」

「……そう」

膝《ひざ》を撫《な》でながら、緑川《みどりかわ》が重く顎《あご》を引く。

それが本心かは分からない。

しかし新城雅貴《まさき》のその言葉《ことば》に、『だから』と続くものを感じたような気がした。


↓二日目に続く。

黒田雪路

引いたのは正解だが、見失ったのは失敗だった。黒田《くろだ》は先程《さきほど》の行動をそう評価《ひょうか》する。せめて拳銃《けんじゅう》を持ち合わせていれば話の前に高校生の脚《あし》を撃《う》ち抜いて、阻止《そし》できたと悔《く》やんだ。

その黒田は現在《げんざい》、駅内《えきない》で個展《こてん》会場の前にいた。高校生の捜索《そうさく》は諦《あきら》めて、本業の方に戻ることにした。これは明日から開かれる『緑川円子《みどりかわえんじ》』の個展会場で、駅の2Fで行われる。意外と広い場所を使うことに黒田は感心しながら、その周辺《しゅうへん》を下見《したみ》のつもりで巡《めぐ》っていた。

まだ会場内に入ることはできないが、外には宣伝《せんでん》の広告《こうこく》が貼《は》られている。中央《ちゅうおう》に写る花の活《い》けてある壺《つぼ》を黒田が一瞥《いちべつ》して、「違《ちが》うやつだな」と呟《つぶや》く。見てもなにがいいのかまるで分からなかった。

個展には本人も来るはずなので、狙《ねら》い時である。それと例の写真の壺が飾《かざ》られていないかを確かめたくもあった。あの壺にもの凄《すご》い秘密《ひみつ》、それこそ財宝《ざいほう》の在処《ありか》でも記《しる》されているのではと勝手《かって》に期待していた。しかし在処を記す前に緑川円子が手に入れるよなぁと、すぐ考え直す。

「あ」

少し距離《きょり》を置いたところでそんな声が聞こえて、黒田《くろだ》が振り向く。視線《しせん》の先にいたのは、デパートの制服を着た店員だった。その女性とはお互《たが》いに面識《めんしき》があり、途端《とたん》、黒田が笑顔《えがお》になる。意気揚々《いきようよう》と近づいてくるのを見て、女性の方は『立ち止まるんじゃなかった』という顔をしている。黒田はそれに気づきながらも構わずに話しかけた。

「やぁやぁどうも。あ、こんにちは。マンション以外で会うのは珍《めずら》しいですね」

「そうですね。どうも」

その女性は、黒田の暮《く》らすマンションで時々顔をあわせる。住んではおらず、よく首根《くびね》っこを掴《つか》まれながら一緒《いっしょ》にいる女の子に会いに来ているようだった。黒田はその女子の方には興味《きょう み》がなく、好意《こうい》があるのは目の前の女性だけだった。名前もお互いに知らないのだが、今つけている名札《なふだ》では『丹羽《にわ》』となっている。たんばさんかぁと誤読《ごどく》しながら、黒田が微笑《ほほえ》んだ。

「どうです、仕事が終わったら一緒にラーメンでも。駅《えき》の1Fんとこに俺、あなたのためならどんな行列でも並びますよ」

「あー、その……すいません、今日は友達の家に行くので」

愛想笑《あいそ》いを浮かべて断られる。この女性が黒田の誘《さそ》いを受けたことは一度もない。黒田も既《すで》になにも期待せずに惰性《だせい》で、挨拶《あいさつ》代わりに誘っていた。

「そういえば、あれ知ってます？　下のとこで人が死んだって」

黒田が話題を振ると、女性の顔が曇《くも》る。

「ええ。銃《じゅう》と聞いて、まさかとは思ったんだけど。違《ちが》ってよかった」

「へぇ？　まさか？」

妙《みょう》な言い回しに黒田が反応《はんのう》する。女性にとっては失言《しつげん》だったのか、「あ、こっちの話」と露《ろ》骨《こつ》に口もとを押さえた。銃と、まさか。組み合わせれば、自《おの》ずと興味《きょうみ》が湧《わ》く。

話を引き伸ばそうと、黒田が広告《こうこく》に目をやる。

「明日からこれ、壺《つぼ》の展示《てんじ》会《かい》ってやつですか？」

「壺だけではありませんけど」

「有名《ゆうめい》な陶芸家《とうげいか》さんなんですか、この人」

「さぁー。私、担当《たんとう》じゃないもので」

それだけ言って、失礼しますと店員が会《え》釈《しゃく》混じりに離《はな》れていった。未練《みれん》も一切《いっさい》なく、さっさと歩いていってしまう。その背中と臀部《でんぶ》を眺《なが》めながら、黒田がぼやく。

「あれが照《て》れ隠《かく》しならいいのになぁ」

気になる点はあったが、無理に追いかけることは止めておいた。

黒田も移動して、駅の2Fの手すりに座《すわ》りながら、金時計の周辺《しゅうへん》を見下ろす。普段《ふだん》は待《ま》ち合わせの定番《ていばん》として賑《にぎ》わうそこは警察《けいさつ》の手によって封鎖《ふうさ》されて、寂《さび》しいものとなっていた。黒田はその景色に運動会を思い出す。玉入れの柱《はしら》を誰《だれ》も支えず、周囲の誰もが投げようとしない。独《ひと》りぼっちの時計を見ていると、そんな情景《じょうけい》が浮かんだ。

当然、死んだ高校生の彼女も時計の側にはいない。今頃《いまごろ》は泣いているだろうと想像《そうぞう》した。

血管の中にコブができて流れを拒《こば》むように、人の往来《おうらい》も左右に偏《かたよ》って窮屈《きゅうくつ》そうだ。金時計を中心として、球根《きゅうこん》かタマネギの形を描《えが》いているようにも見える。その流れの中に男女混合《こんごう》で談笑《だんしょう》しながら改札《かいさつ》へ向かう高校生集団を見かけて、黒田《くろだ》が目を細めた。

あの高校生は堂々《どうどう》と殺しすぎた。よほど上手《うま》く立ち回るか、もしくは殺し屋にでも就職《しゅうしょく》しない限り、一時凌《いちじしの》ぎの安全すら確保《かくほ》できないだろう。黒田が初めて人を殺した年齢《ねんれい》と被《かぶ》っているためか、つい同情的な目線となる。自分の場合は運《うん》がよかっただけだと、黒田は思っていた。

だがすぐに、本当に良かったのかと疑問を持つ。高校生が近いうちに捕《つか》まるとするなら、これ以上は人を殺さないで済《す》む。しかし黒田はこれからも、様々《さまざま》なものに怯《おび》え、疑いながら殺人を重ねて生きていくしかない。終わりが見えない自分の生き様《ざま》は、幸福《こうふく》と言えるのだろうか。

そうして留《とど》まっていると、鉄道警察《てつどうけいさつ》がやってきて、「そこに座《すわ》らないでください」と注意《ちゅうい》してくる。そことは手すりであり、黒田は実のところ、以前にも何度か注意されたことがあった。

黒田は「すいません」と素直《すなお》に謝《あやま》って、その場を離《はな》れる。歩きながら、途中《とちゅう》で我慢《がまん》しきれなくて口もとがひくつく。堪《こら》えきれない笑いのせいで、腹《はら》を抱《かか》えそうになる。

他にもっと注意することがあるだろう、と普通の殺し屋は思った。

↓二日目に続く。

岩谷カナ

ヘソの尾《お》を切られた気分だった。カナは正《まさ》に切り離された胎児《たいじ》のように丸まり、動かない。連れこんだ二匹《ひき》の犬《いぬ》はどちらもカナと似《に》たような姿勢で、幸《しあわ》せそうに寝転《ねころ》ぶ。安全な寝床《ねどこ》を得て一息《ひといき》ついているようだった。しかし、安泰《あんたい》の失われたカナはそんな寝顔《ねがお》になっていられない。

実家《じっか》に続いて、援助《えんじょ》を切られた。そもそもなぜ、大《たい》して面識《めんしき》もない中年が自分を援助《えんじょ》してくれていたかも、カナは知らない。金持ちの気まぐれだろうと解釈《かいしゃく》して、その好意《こうい》に甘《あま》えてきた。

それがあまりに唐突《とうとつ》に終わりを迎えて、カナは揺《ゆ》りかごを失った。もう横になっているだけでは生きていけない。そして同日、ギャッピーによって職場《しょくば》がもたらされたのはなにか運命《うんめい》というのもあるのではと、カナに本気で思わせた。嫌《いや》な運命だと、壁《かべ》の端《はし》から端へ転がる。

だがバイトしたところで、マンションの家賃《やちん》と生活費《せいかつひ》を賄《まかな》えるわけがなかった。とても足《た》りない。カナとしてはお先真《ま》っ暗《くら》だ。そこで昼間の美容院《びよういん》でもらった名刺《めいし》と、出会った男の存在《そんざい》を思い出したが、「お金の相談《そうだん》してもなぁ」ともごもご口を動かすだけで、他は動かない。

こうなってくると、犬の世話などしている場合ではない。自分も路頭《ろとう》を迷《まよ》いかねないのだ。

カナが姿勢を仰向《あおむ》けに変えると、丸っこい方の犬《いぬ》が甘《あま》えるように、腹《はら》の上に乗ってくる。体《たい》毛《もう》がちくちくと肌《はだ》を刺《さ》すが、その暖《あたた》かさにカナの気がほんの少し緩《ゆる》む。場合ではないが、今日ぐらいはいいかと甘《あま》い気持ちにさせるには十分《じゅうぶん》な効果《こうか》があった。

「でも、せめてあっちの細い方が乗れば……まぁ、いいや」

お先の真《ま》っ暗《くら》ついでに眠ろうと目を閉じると、そのままカナは寝入《ねい》ってしまう。不眠不休《ふみんふきゅう》も限界だった。意識《いしき》の途切《とぎ》れる際《さい》、様々《さまざま》な心配がそれを遮《さえぎ》ろうと手を伸ばすが、それに捕《つか》まえられる前にカナは眠気《ねむけ》に誘《さそ》われて、夢《ゆめ》の中へ上手《じょうず》に逃げこんだ。

↓二日目に続く。

花咲太郎

「というわけで、今日のところは収穫《しゅうかく》なしです」

太郎《たろう》が上司《じょうし》への報告《ほうこく》のために事務所に戻ると、篠崎達郎《しのざきたつろう》がまた扉《とびら》の前で正座《せいざ》していた。仕事は早引《はやび》けしたと語る篠崎達郎が成果について報告してほしいとせがむので、太郎は事務所の応接間《おうせつま》に案内した後に開口一番《かいこういちばん》、そう言った。篠崎達郎は目に見えて落胆《らくたん》を表した。

そうした大げさな仕草《しぐさ》は、どこか愛嬌《あいきょう》を感じさせる。太郎は首を伸ばして遮りの向こうに目をやる。派手《はで》な髪《かみ》の同僚《どうりょう》は見当たらない。お茶を運んでくれる事務員もいないので、太郎は自分で動いて二人分のお茶を用意した。茶菓子《ちゃがし》は所長の私物《しぶつ》しかなかったが、遠慮《えんりょ》なく勝手に利用することにした。おにぎりせんべいを五、六枚載《の》せてお茶と共《とも》に運ぶ。

太郎が戻ってくると、落ちこんでいた篠崎達郎も顔を上げる。「ああどうも」と頭を下げた。

その後頭部《こうとうぶ》を見下ろして、太郎がうんと頷《うなず》く。

「……ちょうどよかった」

「は？」

お茶を一口啜《すす》った後、太郎《たろう》は篠崎達郎《しのざきたつろう》に揺《ゆ》さぶりをかける。

「今日、名古屋駅《なごやえき》の中で発砲事件《はっぽうじけん》があったのをご存《ぞん》じですか」

湯飲《ゆの》みに手を伸ばしかけていた篠崎達郎が固まる。『え、え、』と言わんばかりに目が左右に動いている。嘘《うそ》の苦手《にがて》な人のようだと、太郎は『やりやすさ』に安心する。

「知らん。なんだそれは」

篠崎達郎の取った『間《ま》』から、それが本気であると判断する。推理小説《すいりしょうせつ》のような探偵《たんてい》を嫌《きら》う太郎ではあるが、仕事を続ける上で自然、身《み》についてしまったものはある。それは依頼人《いらいにん》が体面《たいめん》や恥《はじ》のために、嘘をつくことの多さに他ならない。捜索《そうさく》の妨《さまた》げになるとは考慮《こうりょ》せず。

「高校生が他校の生徒を撃《う》った、という事件です。あ、凶器《きょうき》は拳銃《けんじゅう》ですよ」

篠崎達郎の顔色《かおいろ》が変わる。太郎はそこに畳《たた》みかけた。

「参考にあげますと、こういうやつです」

ケースに収めていた、篠崎達郎作の紙製モデルガンを取り出して構える。

銃口《じゅうこう》がないとはいえ依頼主にこんなものを構えるのは無作法《ぶさほう》だが、太郎はそのまま続ける。

「これと同じものを高校生は所有《しょゆう》していました。偶然《ぐうぜん》とは考えづらいのですが……篠崎さん。僕に探《さが》させている落とし物、本当にモデルガンなのですか？」

はっきりとさせなければいけないことを、太郎が良い機会《きかい》だと問《と》う。

篠崎達郎はその問いに直接答えず、遠回《とおまわ》りに質問《しつもん》で返す。

「疑うのか？　まさか、本物だとでも？」

「違法《いほう》なものは取り扱《あつか》いたくありませんから。うちはそういう事務所じゃないです」

健全《けんぜん》健全、と太郎が朗《ほが》らかに言う。少なくとも事務所を通して、殺人事件を解決したことはない。そんな依頼は正式に来る前に警察《けいさつ》がなんとかする。太郎の言い分も間違《まちが》いではなかった。

今度は篠崎達郎も間を置く。指を組み、葛藤《かっとう》するように俯《うつむ》く。その態度《たいど》から、太郎は直接聞くまでもなく答えを知ることになる。最初から疑ってはいたがいざ確信《かくしん》すると、『まいったな』と苦《にが》笑いをこぼしてしまう。それは手に余《あま》る仕事に対しての困惑《こんわく》と、同時に目の前の依頼主と拳銃の取り合わせが似合《にあ》わないことへの愉快《ゆかい》さもあった。

やがて篠崎達郎が力強く、大嘘《おおうそ》を宣《のたま》う。

「私が落としたのは間違いなく、モデルガンだ。玩具《おもちゃ》だよ」

「ほぅ」

「信じないのか？」

「いえ、そこまで言いきるのなら明日《あした》からも探します。ただ、見つけるのにある程度《ていど》の時間がかかることは覚悟《かくご》しておいてください。一日、二日ではとても無理でしょう」

毎日来なくていいよと釘《くぎ》を刺《さ》す。篠崎達郎も早急《そうきゅう》すぎたと自覚《じかく》はあったのか、肩身《かたみ》を狭《せば》める。

「とにかく頼《たの》む」

「分かっています。こっちも仕事ですからね」

太郎《たろう》が言外《げんがい》に帰れという態度《たいど》を醸《かも》す。それを受けて、篠崎達郎《しのざきたつろう》はそそくさと立ち上がった。

頬《ほお》に張っている湿布《しっぷ》が粘着力《ねんちゃくりょく》を失い、端《はし》が剝《は》がれかけているのを気にしながら入り口へ向かう。

「あ、まったく関係ない質問《しつもん》なんですけど、二条《にじょう》オワリって歌手知ってます？」

太郎がその背中に思い出したように質問する。篠崎達郎は眉間《みけん》にシワを寄せて、首を振った。

「知らん」

「ですよねぇ。いやいいんです、お疲《つか》れ様でした」

首を傾《かし》げながら、篠崎達郎が事務所を後にした。

完全に一人になってから、太郎は帽子《ぼうし》を脱《ぬ》ぐ。指でくるくると回しながら、嘆息《たんそく》する。

「困るんだよなぁ、こういうの」

違法《いほう》なものを探《さが》すということは、人に頼《たよ》りづらいわけである。聞きこみもロクにできない。

そして個人で探し物を行うというのは、いくら探偵《たんてい》といえども一般人《いっぱんじん》と大差《たいさ》ないことを太郎は身《み》をもって知っていた。明日からどう動くか、今から悩《なや》んで頭痛《ずつう》を感じている。

首藤祐貴《しゅとうゆうき》の所有している拳銃《けんじゅう》を奪《うば》って、渡してしまう。そちらの方がまだ足取りを追いやすい分、現実的《げんじつてき》だった。しかし拳銃を持っている相手《あいて》である。近づきたくなどないというのが太郎の本音《ほんね》だ。

「やっぱり犬《いぬ》探しがいい」

同僚《どうりょう》を羨《うらや》み、その席《せき》に羨望《せんぼう》の眼差《まなざ》しを向ける。

太郎が篠崎達郎に最後に質問したのは、本当に興味本位《きようみほんい》だった。

先日、事務所を訪れたその歌手の依頼《いらい》で同僚は動いている。しかしまったく知名度《ちめいど》はないらしく、太郎が知り合いに尋《たず》ねても誰《だれ》も知らない。唯一《ゆいいつ》反応したのは、蜂《はち》の巣《す》の画像《がぞう》を送ってくるような男だけだった。

その男からまたメールが届く。太郎は露骨《ろこつ》に嫌《いや》そうな態度を取りながらも内容を確認《かくにん》する。

メールに送附《そうふ》されていたのは、花開いたアジサイの画像だった。

『どうかね』

「うるせぇよ」

どうもこうもない。

即消《そくけ》したが、すぐにまた次のメールを受信《じゅしん》してしまう。なんなんだと開く。

『明日ちょっと頼《たの》みたいことがあってさー、そっち行くから』

「……あのなぁ」

見なかったことにして携帯《けいたい》電話を放り出してから、太郎はソファに沈《しず》む。

ケーキを冷蔵庫《れいぞうこ》で保存《ほぞん》するのも忘れて、帽子《ぼうし》で顔を覆《おお》った。

↓二日目に続く。

首藤祐貴

奇妙《きみょう》な鳴き声がずっと聞こえる。祐貴《ゆうき》はそれが自分の口から漏《も》れているのだと、今更《いまさら》に気づく。乾《かわ》いていた下唇《したくちびる》を舐《な》める舌《した》も、水分が不足していた。昼からなにも口にしていない。同時に解体《かいたい》工事中の漫画喫茶《まんがきっさ》と映画館《えいがかん》の中に潜《もぐ》りこんで、祐貴は座《すわ》りこんだまま動かない。幸運《こううん》が作用《さよう》して追ってきた男から逃《のが》れて以来、ずっとここにいた。その間に夕暮《ゆうぐ》れが訪れて、去《さ》り、そして夜を迎えていた。更《さら》に夜の到来《とうらい》とほぼ同じくして、雨音が聞こえ始めていた。水滴《すいてき》に伴《ともな》う湿気《しっけ》が顔に張りつくと、殴《なぐ》られた箇所《かしょ》が過剰《かじょう》に熱を帯びて、肉を焼くような痛みに襲《おそ》われる。潰《つぶ》れた鼻の先が真《ま》っ直《す》ぐになっていないことを触《ふ》れて確《たし》かめて、鳥肌《とりはだ》が立つ。今頃《いまごろ》は家族も自分が帰宅《きたく》しないことに焦《あせ》り出すだろう。平穏《へいおん》を信じて帰ってきた両親の期待を裏切《うらぎ》るのが申《もう》し訳《わけ》なくて、祐貴が涙《なみだ》する。流れる涙を渇いた喉《のど》が求めて舐め取る。

蒸留水《じょうりゅうすい》のように、味のない涙だった。

これからどうすればいいのかと、祐貴は己《おのれ》に問《と》う。持っていた携帯《けいたい》電話も漫画喫茶に忘れて、財布《さいふ》も現場に置いてきた鞄《かばん》の中だ。残っているのは定期入れしかない。だが学校に行けるはずもなく、また外に顔をさらすこと自体、終わりだと祐貴は考えていた。自分の顔が公表《こうひょう》されているのかも、また、自分はどんな罪《つみ》に問《と》われるのかも祐貴は把握《はあく》できていない。

作業を終えた工事現場も明日になれば人がやってくる。早朝から別の場所へ移動しなければいけない。しかし、一文無《いちもんな》しである祐貴には漫画喫茶という選択肢《せんたくし》も失われていた。

このまま人目《ひとめ》につかずに生きていけないかと考える。水は公園か運動場を探《さが》して飲めばいい。食料は盗《ぬす》む。人の家に泥棒《どろぼう》に入る。いっそのこと山の中に逃げて自給自足《じきゅうじそく》すればいいんじゃないか。幻想《げんそう》の希望に祐貴の目が眩《くら》み、顔を上げそうになる。だが浮かれそうになるその頭も、周囲《しゅうい》の真《ま》っ暗闇《くらやみ》を鼻から吸いこむことで、たちまち冷める。あっという間に祐貴は萎《しぼ》んだ。

現場にかかっている布《ぬの》の雨を弾《はじ》く音が強まり、それに応《おう》じて雨粒《あまつぶ》が入りこんでくる量を増す。鉄骨《てっこつ》の側に寄りかかっている祐貴も次第《しだい》に濡《ぬ》れそぼってきた。祐貴は半《なか》ば無意識《むいしき》に、濡れないようにと拳銃《けんじゅう》を服の内側に隠《かく》す。祐貴の持ち物は定期券と、拳銃だけだった。

何度も恐怖《きょうふ》し、捨てようという衝動《しょうどう》に駆《か》られた。しかしその都度《つど》思い直して、祐貴は拳銃を握《にぎ》り続ける。非日常《ひにちじょう》たる拳銃を保ってしか、自分はなんとかならない。どうにもならない。救われない。そんな強迫観念《きょうはくかんねん》に背中を押されて、今も呻《うめ》いていた。

祐貴は必死《ひっし》に考えているようでいてその実、『自分は必《かなら》ず救われる』ということを前提《ぜんてい》にしてしか頭が働《はたら》いていない。必ず救われるけど、そのためにどうすればいいのかと悩んでいるにすぎない。そんな人間が救われるはずもなく、また、光明《こうみょう》が見つかるわけもなかった。

目の前の歩道を人影が通る度、祐貴の顔が歪む。自分が見つかるのではという恐怖、そして道を堂々と歩いていることへの嫉妬が混ざって、悲壮な面構えとなる。その人影が通りすぎた後、祐貴は手のひらで顔を覆う。どうすればいいのかなにも分からなくて、早くも限界だった。自分はどこで失敗したのだろうと、祐貴が泣きっ面になる。感情の矛先を見失ったまま、何時間も泣き喚きたかった。泣いてすべてをなかったことにしたい。だが、それは不可能だった。

祐貴がいくら後悔しようとも、時間は進む。

しかしどこに行けばいいのかも分からないでいる祐貴にとっては、なにもしないで進んでくれることがせめてもの救いだった。

せめて、日の当たる朝がきてほしい。

祐貴の切実な願いは、強まり続ける雨音に裏切られる。

　　　→二日目に続く。

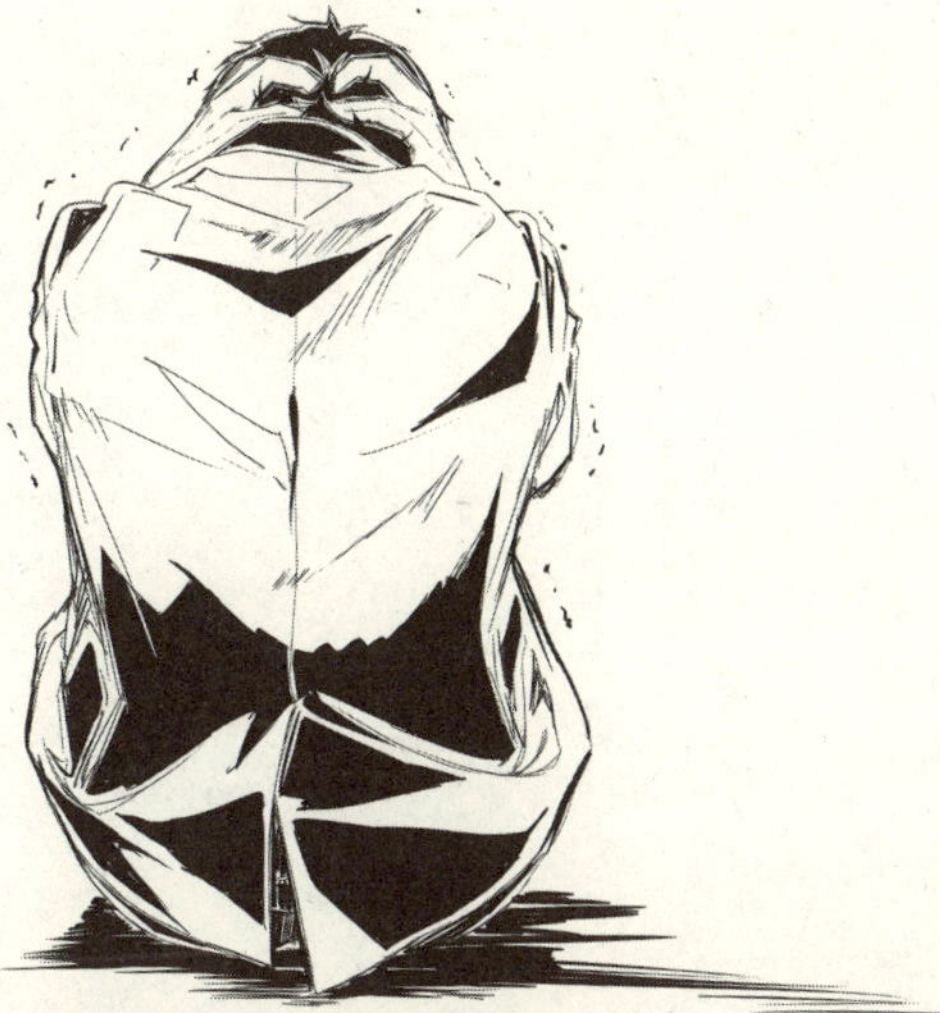

あとがき

クロクロクロック……。

それは群像劇《ぐんぞうげき》とけろけろけろっぴをくみあわせた、まったくあたらしい……と言うほど目新《まあたら》しさはない小説である。関係ないけどサンリオのキャラではポムポムプリンが好《す》きです。


というわけで唐突《とうとつ》に新シリーズが始まりました、こんにちは。トカゲの王もまだ続いてしまうのですが、こっちもがんばって書いていこうと思います。全六巻予定です。

それと八月あたりに刊行《かんこう》する予定だった大学の三丁目あたりで（仮）ですが、書いてあまりにつまらないのでボツにしました。すいません。

もう書くことがありません、どうしよう。


今回、初めてイラストを担当《たんとう》していただいた深崎暮人《みさきくれひと》さんにこの場を借りてお礼申《もう》し上げます。あと『昔《むかし》からその体型を維持《いじ》してられるんですか？』と聞かれると『まぁね』とか得意顔《とくいがお》で答える、スポーツジムに行って二十キロぐらい痩《や》せた父親となんだかアレでアレな母親も感《かん》謝《しゃ》するのはお約束《やくそく》というやつですね。
今回もお買い上げ頂《いただ》きありがとうございました。

入間《いるま》人間《ひとま》

◉入間人間著作リスト

「嘘つきみーくんと壊れたまーちゃん　幸せの背景は不幸」（電撃文庫）

「嘘つきみーくんと壊れたまーちゃん2 善意の指針は悪意」(同)
「嘘つきみーくんと壊れたまーちゃん3 死の礎は生」(同)
「嘘つきみーくんと壊れたまーちゃん4 絆の支柱は欲望」(同)
「嘘つきみーくんと壊れたまーちゃん5 欲望の主柱は絆」(同)
「嘘つきみーくんと壊れたまーちゃん6 嘘の価値は真実」(同)
「嘘つきみーくんと壊れたまーちゃん7 死後の影響は生前」(同)
「嘘つきみーくんと壊れたまーちゃん8 日常の価値は非凡」(同)
「嘘つきみーくんと壊れたまーちゃん9 始まりの未来は終わり」(同)
「嘘つきみーくんと壊れたまーちゃん10 終わりの終わりは始まり」(同)
「嘘つきみーくんと壊れたまーちゃんi 記憶の形成は作為」(同)
「電波女と青春男」(同)
「電波女と青春男②」(同)
「電波女と青春男③」(同)
「電波女と青春男④」(同)
「電波女と青春男⑤」(同)
「電波女と青春男⑥」(同)
「電波女と青春男⑦」(同)
「電波女と青春男⑧」(同)
「電波女と青春男SF(すこしふしぎ)版」(同)

「多摩湖さんと黄鶏くん」（同）
「トカゲの王Ⅰ　－SDC、覚醒－」（同）
「トカゲの王Ⅱ　－復讐のパーソナリティ〈上〉－」（同）
「トカゲの王Ⅲ　－復讐のパーソナリティ〈下〉－」（同）
「探偵・花咲太郎は閃かない」（メディアワークス文庫）
「探偵・花咲太郎は覆さない」（同）
「六百六十円の事情」（同）
「バカが全裸でやってくる」（同）
「バカが全裸でやってくるVer.2.0」（同）
「昨日は彼女も恋してた」（同）
「明日も彼女は恋をする」（同）
「時間のおとしもの」（同）
「19　－ナインティーン－」（同）
「僕の小規模な奇跡」（同）
「僕の小規模な奇跡」（単行本　アスキー・メディアワークス）
「ぼっちーズ」（同）

本書に対するご意見、ご感想をお寄せください。

■

あて先

〒102-8584 東京都千代田区富士見1-8-19
アスキー・メディアワークス電撃文庫編集部
「入間人間先生」係
「深崎暮人先生」係

■

電撃文庫

クロクロクロック 1/6

入間人間《いるまひとま》

発　行　二〇一二年八月十日　初版発行

発行者　塚田正晃

発行所　株式会社アスキー・メディアワークス
〒一〇二-八五八四 東京都千代田区富士見一-八-十九
電話〇三-五二一六-八三九九（編集）
http://asciimw.jp/

発売元　株式会社角川グループパブリッシング
〒一〇二-八一七七 東京都千代田区富士見二-十三-三
電話〇三-三二三八-八六〇五（営業）

装丁者　荻窪裕司（META＋MANIERA）

印刷　株式会社暁印刷

製本　株式会社ビルディング・ブックセンター

Printed in Japan
ISBN978-4-04-886793-1 C0193

電撃文庫創刊に際して

文庫は、我が国にとどまらず、世界の書籍の流れのなかで〝小さな巨人〟としての地位を築いてきた。古今東西の名著を、廉価で手に入りやすい形で提供してきたからこそ、人は文庫を自分の師として、また青春の想い出として、語りついできたのである。

その源を、文化的にはドイツのレクラム文庫に求めるにせよ、規模の上でイギリスのペンギンブックスに求めるにせよ、いま文庫は知識人の層の多様化に従って、ますますその意義を大きくしていると言ってよい。

文庫出版の意味するものは、激動の現代のみならず将来にわたって、大きくなることはあっても、小さくなることはないだろう。

「電撃文庫」は、そのように多様化した対象に応え、歴史に耐えうる作品を収録するのはもちろん、新しい世紀を迎えるにあたって、既成の枠をこえる新鮮で強烈なアイ・オープナーたりたい。

その特異さ故に、この存在は、かつて文庫がはじめて出版世界に登場したときと、同じ戸惑いを読書人に与えるかもしれない。

しかし、〈Changing Times,Changing Publishing〉時代は変わって、出版も変わる。時を重ねるなかで、精神の糧として、心の一隅を占めるものとして、次なる文化の担い手の若者たちに確かな評価を得られると信じて、ここに「電撃文庫」を出版する。

1993年6月10日
角川歴彦

電撃文庫

クロクロクロック1/6
入間人間
イラスト／深崎暮人
ISBN978-4-04-886793-1

①殺し屋の青年。②大学留年女子。③高三男子。④小六女子。⑤女性陶芸家。そして⑥、花咲太郎。六丁の拳銃を巡って、彼ら彼女らの運命が、今転がり始める。

い-9-25　2377

トカゲの王Ⅰ —SDC、覚醒—
入間人間
イラスト／ブリキ
ISBN978-4-04-870125-9

俺はこんな所で終わる人間じゃない。その他大勢が強いられる『普通』の人生から逸脱した、選ばれし者なんだ。俺には世界を〝塗り替える〟資格がある。『リペイント』と名付けたこの能力で、俺は眼前に立ちはだかる不気味な殺し屋たちから、必ず逃げ延びてやる。

い-9-18　2047

トカゲの王Ⅱ —復讐のパーソナリティ〈上〉—
入間人間
イラスト／ブリキ
ISBN978-4-04-886244-8

世界を塗り替えるはずだった俺の野望は、右目と共に消失した。そして俺はヒキコモリになった。そこに復活を目論む巣鴨がやってきて、なぜかエロDVDをあさりはじめた!?

い-9-23　2255

トカゲの王Ⅲ —復讐のパーソナリティ〈下〉—
入間人間
イラスト／ブリキ
ISBN978-4-04-886625-5

復讐というパーソナリティは、螺旋を描いて俺たちの中心点へと収束していく。果たして、この中で、生き残るのは誰か。それはもちろん、俺——であって欲しい。

い-9-24　2342

多摩湖さんと黄鶏くん
入間人間
イラスト／左
ISBN978-4-04-868649-5

年上のおねえさんは好きですか？　俺は大好きです。二ヶ月前から付き合いはじめた大人の女性な多摩湖さんと、エロいゲームを密室プレイする。そんな魅惑の日々なわけですよ。

い-9-16　1974

INDEX

1/6 —— 11
プロローグ —— 17
一日目 —— 21

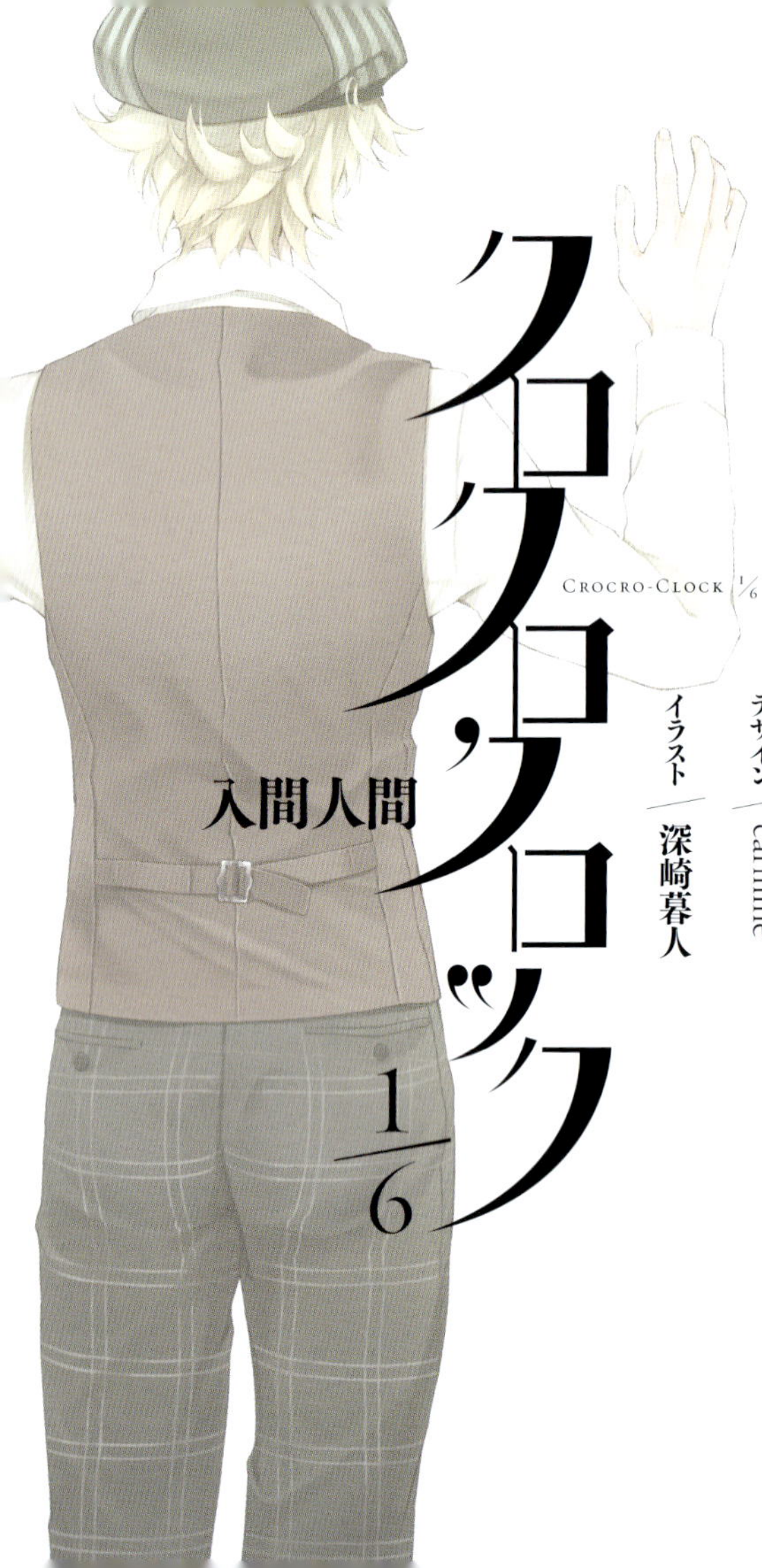

クロクロクロック 1/6

CROCRO-CLOCK 1/6 HITOMA IRUMA

入間人間

イラスト／深崎暮人

デザイン／carmine